D1501528

Ma démarche en lecture

Avant de lire

- Demande-toi pourquoi tu lis.
- Survole ton texte, sers-toi des indices pour prévoir son contenu.
- Sers-toi de ce que tu sais déjà.

Pendant que tu lis

- Rappelle-toi des stratégies pour lire et comprendre les mots.
- Lis par groupes de mots pour bien comprendre les phrases.
- Fais des liens entre les mots d'une phrase, entre les phrases et dans le texte.
- Arrête-toi de temps en temps et pose-toi des questions pour t'assurer que tu comprends.
- Si tu lis une histoire, réagis aux personnages. Essaie de prédire la suite.
- Si tu lis un texte d'information, cherche les idées principales, sélectionne les informations dont tu as besoin.

Après avoir lu

- Rappelle-toi l'histoire que tu as lue. Discute avec d'autres de ta lecture.
- Si tu as lu un texte d'information, vérifie que tu as trouvé ce que tu cherchais. Cherche ce que tu as appris de nouveau.
- Si tu fais une recherche, organise l'information et diffuse-la.
- S'il y a lieu, réponds aux consignes et aux questions.

Ma démarche en écriture

Réfléchis et prépare l'écriture de ton texte

- Demande-toi pourquoi tu écris et qui sont tes destinataires.
- Explore ton sujet, pose-toi des questions, cherche des idées.
- Fais un plan de ton texte.

Mets tes idées en mots, écris le brouillon de ton texte

- Organise tes idées en paragraphes, reviens à ton plan, modifie-le au besoin.
- Organise tes phrases, assure-toi qu'elles sont bien délimitées et ponctuées.
- Choisis des mots qui expriment bien ta pensée.
- Fais des liens dans ton texte, entre les phrases et dans les phrases, pour le rendre agréable à lire et facile à comprendre.

Révise, corrige et diffuse ton texte

- Relis ton texte pour vérifier l'ordre et l'organisation des idées.
- Révise à nouveau l'organisation de tes phrases et la ponctuation.
- Vérifie l'orthographe des mots.
- Vérifie les accords.
- Écris une dernière version de ton texte.
- Fais une mise en pages appropriée.

FRANCE LORD
DANIEL LYTWYNUK

JOËLLE MORRISSETTE
ISABELLE PÉLADEAU

FRANÇAIS
SCIENCE ET TECHNOLOGIE
UNIVERS SOCIAL
ART DRAMATIQUE
ARTS PLASTIQUES

MODULO

D

Nous reconnaissons l'aide financière du gouvernement du Canada par l'entremise du Programme d'Aide au Développement de l'Industrie de l'Édition (PADIÉ) pour nos activités d'édition.
Gouvernement du Québec – Programme de crédit d'impôt pour l'édition de livres – Gestion SODEC.

Chargé de projet : André Payette
Direction artistique et conception graphique : Marguerite Gouin
Montage : Julie Bruneau, Marguerite Gouin, Lise Marceau, Nathalie Ménard
Typographie : Carole Deslandes
Maquette/couverture : Marguerite Gouin
Recherche (photos) : Julie Saindon
Révision : Nathalie Liao (révision scientifique), André Payette, Marie Théorêt (révision linguistique)
Correction d'épreuves : Dolène Schmidt, Monique Tanguay, Marie Théorêt

Textes : Alain Florent : p. 156-159 ; France Lord : p. 35-36 ; Daniel Lytwynuk : p. 145-146 ; Claude Morin : p. 72-75 ; Michèle Morin : p. 80-81, 82, 83, 84, 150-154, 155 ; André Payette : p. 6 (capsule), 12-13, 45-49 (adapt.), 64 (capsule), 75 (capsule), 81 (capsule), 90 (capsule), 94 (capsule), 102-104, 136 (capsule), 142 (capsule), 154 (capsule), 177-179 ; Martin Poulin : p. 2-6, 14-16, 18-22, 39-40, 41-42, 50, 51, 91-94, 95-97, 130-134, 135-136 ; Marie Théorêt : p. 8-11 (adapt.), 28-29 (adapt.), 43-44, 60-61, 98-100, 101 (capsule), 166-167, 174-176 ; Marc Thibodeau : p. 38, 40 (capsule), 56-58, 59 ; Dolène Schmidt : p. 31-34, 66-70, 105-108, 143-144, 181-184 ; Renée Zavallone : p. 115-119, 121-122, 123-125, 162-165.

Illustrations : Jean-Pierre Beaulieu : p. 52-55, 76-79, 126-129, 167 ; Marc Delafontaine et Maryse Dubuc : p. 1, 37, 71, 113, 147, couverture, pages de garde, pages pédagogiques ; Marie Lafrance : p. 7, 17, 27-30, 120, 137, 148-149, 160, 180 ; Jacques Lamontagne : p. 8-11, 45-49, 87-89, 139-142 ; Ninon : p. 114, 161 ; Jean-Luc Trudel : p. 23-26.

Photos : ACCQ / SSSS : p. 132 (CLSC) ; Alphapresse : p. 179 (en bas) ; Benoit Aquin : p. 142 ; Archives historiques des Sœurs de la Charité de Québec : p. 132 (en bas) ; Archives Hydro-Québec : p. 133 (à gauche), 134 ; Archives nationales du Canada : p. 2 (C-016741, en haut), (C-009660, en bas), 3 (C-085854, au milieu), (C-038667, en bas), 5 (PA-088504, au milieu), 12 (C-006648 / Larss and Duclos, ville de Dawson), 22 (C-014118), 130 (PA-112883 / Harry Rowed, en haut), 133 (PA-047139 / Arthur Roy) ; Archives nationales du Québec à Montréal : p. 133 (rue Saint-Urbain) ; Archives nationales du Québec à Québec : p. 130 (en bas), 131 (Jean Lesage), (E10, D72-638,P9/1972, UQAM), 132 (E10, D72-1, P29 / Jules Rochon, 1972, Claude Castonguay) ; Archives of Manitoba : p. 4 (en haut), 16 (N-2762, en haut) ; Bernard Bastien : p. 104 (au milieu) ; Bibliothèque nationale du Québec : p. 146 (en haut) ; British Columbia Archives : p. 19 (A-04437, au milieu), (D-07548, en bas), 21 (A-07993, en haut), (E-02626, travailleurs de mine) ; Conseil national de recherches Canada : p. 56 (en haut), Domtar : p. 56 (en bas) ; Gaëtan Morin éditeur : p. 42 (Frère Marie-Victorin, en haut) ; Glenbow Archives : p. 3 (NA-1043-1, en haut), 4 (NA-2251-18, en bas), 5 (NA-949-97, en haut) ; Marguerite Gouin : p. 102 ; INRS-Institut Armand-Frappier : p. 135 (Laurent Berthiaume, à droite), (Robert Alain, à gauche) ; Jean-François Gratton : p. 94 ; Jardin botanique de Montréal : p. 41, 42 (photo Michel Tremblay, en bas) ; La Presse : p. 51 (Ben Johnson) ; Lech Krzyzaniak : p. 99 (en haut) ; Jacinthe Lessard : p. 103, 104 (en haut) ; Library of Congress : p. 12 (affiche Klondike), 13 (en bas) ; Lili Richard : p. 84 ; LOEX : p. 50 ; Magma : p. 98 (BE 041082 / Bettmann / CORBIS / Magma) ; Michael Slobodian Photographe : p. 100 ; MNAM, Centre G. Pompidou : p. 73 (en haut, © Succession César Baldaccini / Sodrac 2003) ; Montreal Neurological Institute : p. 59 ; Michèle Morin : p. 151 ; Mʳ Brincourt / Scoop Paris-March : p. 73 (en bas) ; Musée Armand-Frappier : p. 39 (André Larose, photo A. F.), (Jim Lego, Centre Photo Laval) ; Musée d'archéologie et d'histoire de Montréal, Pointe-à-Callière : p. 92 ; Musée d'art contemporain de Montréal : p. 83 (*Nature morte au poisson*, 1956-1957 / # D 67 24 P 1 / collection Musée d'art contemporain de Montréal / photo : MACM / © Succession Jean Dallaire / SODRAC 2003) ; Musée de la mer de Pointe-au-Père : p. 57 (sextant) ; Musée McCord d'histoire canadienne, Montréal : p. 19 (Notman, # 6840, en haut), 133 (Notman, # 17248, en haut) ; Musée minéralogique et minier de Thetford Mines : p. 12 (2003.259 / Serge Gaudard / « détail » pépites d'or, en bas) ; Musée national des beaux-arts du Québec : p. 82 (*Série noire – C*, 191971 / # 93.299 / photo Jean-Guy Kérouac / © Succession Alfred Pellan / SODRAC 2003) ; National Museum of Health and Medicine : p. 136 (en haut) ; Nicole Petit-Maire : p. 166, 167 ; Philadelphia Museum of Art – Given by the Schwartz Galleria d'Arte : p. 72 (en haut) ; Photo Pourny / ROC : p. 64 ; Photo Roy Hubler : p. 91 (« détail » Walter Boudreau) ; Photothèque des Musées de Paris : p. 74 (en bas, AMS 0603 / Arman / Sodrac 2003) ; RCMP Museum : p. 14 ; Réunion des Musées Nationaux / Art Resource, NY : p. 154 (*Arche de Noé*, © Succession Marc Chagall / Sodrac (Montréal) 2003) ; Robert Lepage inc. : p. 95 (« détail » photo Robert Lepage), 96 (photo Claudel Huot), 97 ; Roberta Bondar photography : p. 43 ; SODRAC : p. 85 (© Succession Max Ernst / Sodrac 2003) ; STM / Jean-René Archambault : p. 80, 81 (en haut) ; The Isadora Duncan Dance Foundation / www.isadoraduncan.org : p. 101 ; The Piero and Lucille Corti Foundation / www.lhospital.org : p. 60, 61 (3 images) ; TUYO : P. 93 (photos Michel Simonsen) ; UQAM : p. 131 (photo Robin Edgar, en bas) ; US National Archives : p. 40 ; Visuals Unlimited inc. : p. 179 (# 210750, en haut).

Cyclades
(Manuel D)

© Modulo Éditeur, 2004
233, av. Dunbar, bureau 300
Mont-Royal (Québec)
Canada   H3P 2H4
Téléphone : (514) 738-9818 / 1-888-738-9818
Télécopieur : (514) 738-5838 / 1-888-273-5247
Site Internet : www. modulo.ca

Dépôt légal — Bibliothèque nationale du Québec, 2004
Bibliothèque nationale du Canada, 2004
ISBN 2-89113-**936**-4

Imprimé au Canada

1 2 3 4 5 II/M12 08 07 06 05 04

Table des matières

Pages pédagogiques : Les fonctions de l'adjectif, 105; Jouer avec les mots, 106; Quelques suffixes et leur sens, 107; Le verbe **voir**, Le verbe **savoir**, 108; Du figuratif au non-figuratif, 109

Thème 19   C'est la vie !

Pages pédagogiques : Les mots de substitution, 143; Les mots empruntés, Les anglicismes, 144; La science au service de la santé, 145

Thème 20   En voyage

Pages pédagogiques : Les expressions figées, 181; Le choix des temps de verbes dans les récits, 182; Les mots liés au monde du livre, 184

Lis ce texte pour savoir comment les Prairies canadiennes se sont peuplées au début du 20ᵉ siècle.

L'immigration dans les Prairies canadiennes

Wilfrid Laurier.

Si le Canada est aujourd'hui reconnu mondialement pour la diversité et la richesse culturelles de sa population, c'est en grande partie grâce à la vague d'immigration qui a déferlé sur les Prairies canadiennes au début du 20ᵉ siècle. Arrivant des États-Unis, d'Europe et d'Asie, des millions de personnes sont en effet venues peupler le Canada à cette époque. On estime qu'en 1911 plus de 20 % des habitants du Canada étaient nés à l'extérieur du pays.

Pendant les 30 années qui ont suivi la Confédération de 1867, le Canada a reçu peu d'immigrants. Mais vers 1895, l'Europe se remettait d'une grave crise économique, ses populations augmentaient rapidement et les terres disponibles se faisaient de plus en plus rares. Cette réalité força plusieurs milliers d'individus à s'exiler. Au Canada, le nouveau premier ministre élu, Wilfrid Laurier, a alors décidé de mettre en branle une importante campagne de colonisation de l'Ouest canadien alors presque désert.

Peupler l'Ouest canadien

Le projet de colonisation de l'ouest du pays a été confié à Clifford Sifton, alors ministre de l'Intérieur. Sifton considérait que la prospérité du Canada devait passer par l'exploitation des riches terres des Prairies canadiennes. Pour lui, le principal besoin du pays consistait à augmenter le nombre d'ouvriers agricoles. Pour y parvenir rapidement, il simplifia les lois de l'immigration, entre autres en accélérant la donation des territoires aux colons.

Des immigrants à bord de l'*Empress of Britain*.

Publicité du gouvernement canadien pour attirer des immigrants britanniques.

Sifton a ensuite organisé des campagnes de publicité pour faire connaître les mérites de l'Ouest canadien en Grande-Bretagne, aux États-Unis et dans le reste de l'Europe. Il a fait distribuer un grand nombre de brochures publicitaires, il a fait installer des stands d'information dans les grandes foires et il a invité des journalistes étrangers à venir se rendre compte de la qualité de vie qui attendait les immigrants. Les méthodes du ministre de l'Intérieur ont connu un grand succès puisque 3 millions de personnes ont immigré au Canada entre 1900 et 1914, dont 400 000 en 1913.

Une immigration britannique massive

Les immigrants britanniques étaient les plus nombreux, soit 1 million de nouveaux arrivants. La majorité d'entre eux ont traversé l'Atlantique pour des raisons sociales.

D'une part, en venant s'installer au Canada, ils étaient sûrs de retrouver une société très semblable à la leur. D'autre part, ces hommes et ces femmes fuyaient une situation économique très difficile dans leur pays. Malheureusement pour Clifford Sifton, très peu de cultivateurs faisaient partie de ce million de nouveaux arrivants qui se sont essentiellement installés dans les grandes villes.

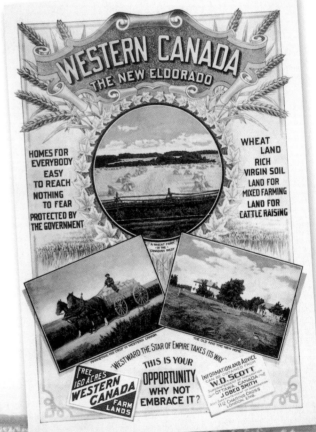

Un camp de colons venant d'Angleterre en Saskatchewan, en 1903.

L'immigration américaine

Plus de 750 000 citoyens des États-Unis ont quitté leur pays pour s'établir dans les Prairies. Pour la majorité, ce n'était pas un grand dépaysement, car ils connaissaient le mode de vie agricole et les types de cultures des grandes plaines. Leur adaptation était d'ailleurs d'autant plus aisée que de vastes étendues de terres étaient disponibles et que plusieurs arrivaient au pays avec des bêtes et des machines agricoles qui leur facilitaient grandement la tâche. Comme les terres coûtaient assez cher aux États-Unis, ces Américains pouvaient les vendre avec profit pour s'acheter des bêtes et du matériel agricole. À leur arrivée au Canada, ils recevaient gratuitement du gouvernement 65 hectares de terre.

Les immigrants de l'Europe de l'Est

Les immigrants des pays d'Europe de l'Est ont eu la vie plus difficile. Provenant de l'Ukraine, de l'Allemagne et de la Russie, les centaines de milliers de personnes qui sont venues s'installer sur les futurs territoires de l'Alberta, de la Saskatchewan et du Manitoba à cette époque étaient essentiellement des agriculteurs pauvres et illettrés qui quittaient des situations économiques, sociales et politiques difficiles.

Entre 1897 et 1912, 170 000 Ukrainiens sont venus s'établir au Canada, formant un des groupes de néo-Canadiens les plus importants du pays. Ils ont connu des débuts ardus. Fuyant une vie misérable, ils comptaient bien profiter des terres gratuites, des grands espaces et de la liberté qui caractérisaient la société canadienne. Au début, ils ont eu tendance à construire de petites maisons blanches au toit de chaume semblables à celles qu'ils habitaient dans leur pays d'origine. Mais peu à peu, dès que leur situation économique s'améliora, ils se sont mis à bâtir des maisons à charpente de bois mieux adaptées au climat du pays.

Le succès de la colonisation

La colonisation des Prairies canadiennes a été un succès dans l'ensemble. Le principal problème du gouvernement fédéral a consisté à construire une nation unie avec des personnes de cultures très différentes.

Si l'acclimatation sociale a été plus ou moins difficile pour les principaux groupes d'immigrants, la réalité physique les a tous amenés à relever d'énormes défis. D'abord, les grandes plaines exposées aux vents continuels offraient peu d'abris naturels contre les intempéries. Souvent, seules les berges des rivières offraient un peu de protection. De plus, comme il n'y avait pas d'arbres, la construction d'habitations et le chauffage posaient de grands problèmes. Par ailleurs, la grandeur des territoires distribués aux colons limitait les rapports entre les voisins et rendait l'entraide difficile. À cela s'ajoutait le manque de commodités, l'eau courante par exemple.

Heureusement, plusieurs de ces immigrants avaient quitté des situations plutôt misérables et avaient ainsi développé suffisamment de ressources pour surmonter les difficultés quotidiennes. On peut dire que, de façon générale, ils se sont très bien tirés d'affaire !

- Aimerais-tu approfondir certains aspects de ce texte ? Lesquels ?
- Comment expliques-tu le désir du ministre de l'Intérieur de coloniser les plaines ?

Fort Rupert, en Colombie-Britannique, en 1878.

univers social

Les Métis

Dans les plaines de l'Ouest, dès la fin du 17e siècle, plusieurs Européens avaient épousé des femmes autochtones. On a appelé Métis les enfants issus de ces couples mixtes. Les Métis parlaient la langue autochtone de leur mère et la langue de leur père, surtout le français, mais aussi l'anglais. Ce bilinguisme en faisait de parfaits intermédiaires entre les peuples autochtones nomades qui chassaient le bison et les marchands de la Compagnie de la Baie d'Hudson qui faisaient la traite des fourrures. Les Métis achetaient les fourrures des autochtones et les revendaient aux marchands de la Compagnie.

Les Métis formaient un peuple original qui avait un mode de vie autochtone et un mode de vie européen. Ils avaient appris des autochtones à monter à cheval et ils étaient eux-mêmes d'excellents chasseurs de bison. Mais ils cultivaient aussi de petits lopins de terre comme leurs ancêtres européens. Vers la fin du 19e siècle, l'arrivée du chemin de fer dans l'Ouest, l'installation de colons européens et l'extermination presque complète des troupeaux de bisons modifièrent profondément leur mode de vie.

Chanson de la terre

Y a que les corbeaux dans les champs aujourd'hui
Le travail des hommes attend la pluie
La terre est noire, brune, blonde ou rousse
Y a que les corbeaux dans les champs aujourd'hui
Que revienne l'eau au fond des puits
La terre chaude attend que le blé y pousse

C'est la terre austère, c'est la terre de nos pères
C'est la terre qui nous fait vivre
Terre noire, terre claire, terre trempée, terre séchée
Terre usée qui rien ne livre

Y a que les corbeaux dans les champs aujourd'hui
Mais un ciel d'orage annonce la pluie
La terre est bonne, sous nos pieds si douce
Y a que les corbeaux dans les champs aujourd'hui
Mais demain les blés seront en épis
La terre se donne et l'enfant grandit

C'est la terre austère, c'est la terre de nos pères
C'est la terre qui nous fait vivre
Terre noire, terre claire, terre trempée, terre séchée
Terre joyeuse au mois de juillet

Daniel LAVOIE

Thierry SÉCHAN

Louise DUBUC

La prairie en feu

Adaptation d'un récit de James Fenimore COOPER

La petite troupe formée par Middleton, sa jeune épouse Inès, Paul
— un naturaliste — et le vieux trappeur qui les guidait dans les plaines
de l'Ouest avait été prise au piège par les Sioux. Une guirlande de fumée
affolante les encerclait. Regardant de tous côtés, ils en venaient à
l'épouvantable évidence qu'aucun passage ne leur permettrait d'échapper
au feu. La fumée compacte s'accumulait en masses sombres, dissimulant
l'horizon. Une lueur rouge les éclairait sinistrement, laissant par moments
s'échapper de hautes flammes menaçantes.

«Il serait terrible de mourir de cette manière, murmura Middleton en
serrant Inès contre lui. Nous devons essayer de traverser les flammes!

— Vous avez raison, dit Paul. Il serait indigne de ne pas tenter de sauver
 nos vies.

— Vous croyez qu'un cheval court plus vite que la flamme sur des herbes
 sèches», rétorqua amèrement le trappeur.

Après un court moment de silence pesant et décourageant, le vieillard
s'écria:

«Mais c'est pourtant simple! Vite, arrachez l'herbe sèche autour de vous. Vite!»

Et il se mit à la tâche avec une énergie surprenante. Mais les autres ne bougeaient pas. Désespérés, ils doutaient du trappeur. Serait-il devenu fou ? Voyant clair dans la mine sombre de ces personnes peu habituées à la vie en forêt, le vieillard reprit :

« Jamais ces flammes ne nous atteindront si vous vous mettez tout de suite au travail. Faites comme moi. C'est un vieil homme expérimenté et qui en a vu de bien pires qui s'adresse à vous. S'il était aussi facile de déjouer les Sioux que d'éviter l'incendie de la Prairie, nos tourments seraient finis. Sachez que j'ai déjà vu d'énormes montagnes qui ressemblaient aux feux de l'enfer... »

L'un après l'autre, prêts à tout, chacun se mit à arracher l'herbe sèche avec ardeur. Quand ils eurent dégagé un cercle d'environ six mètres de diamètre, le trappeur leur dit de se regrouper. S'éloignant d'eux, il prit une poignée d'herbes sèches, les plaça sur le bassinet de son fusil, y mit le feu avec une amorce et les jeta au milieu des grandes herbes. En un éclair, les flammes firent leur chemin sur la prairie.

« Maintenant, dit le vieillard, nous allons assister au combat du feu contre le feu. Croyez-moi, ce n'est pas la première fois que je me brûle un sentier dans les hautes herbes. »

Voyant le désarroi sur le visage de ses compagnons, le vieillard ajouta :

« Faites-moi donc confiance : ma barbe blanche ne vous convainc-t-elle pas de ma longue expérience ? Ne suis-je pas toujours en vie ? »

À leur grand soulagement, le feu avançait effectivement en laissant le champ libre derrière lui, puisqu'il n'y avait plus rien à brûler. Dans un crépitement presque assourdissant, les flammes fauchaient les herbes sèches, ne laissant que la terre fumante. Du milieu du cercle déblayé, la petite troupe voyait les flammes s'éloigner de tous les côtés. Leurs vies étaient sauves.

« Mille fois bravo et merci ! s'écria Inès. Nous vous devons la vie !

— Trappeur, continua Paul, ceci est un véritable exploit !

— Maintenant, harnachons les chevaux, ordonna le guide. Nous pourrons partir dans une demi-heure, le temps que le sol se refroidisse. Les chevaux des Indiens ne sont pas ferrés. Nous devons éviter qu'ils se brûlent les pieds. »

Puis il ajouta après un moment :

« Autrefois, on m'appelait Œil-de-Faucon. Mais ma vue n'est plus ce qu'elle était. Alors prenez la relève. Il faut à tout moment se méfier des Sioux. Ils sont beaucoup plus à craindre que les flammes ardentes, croyez-moi. »

Il était temps de monter à cheval. Le trappeur insista pour donner le sien au naturaliste :

« Dans ma vie, j'ai marché plus souvent que chevauché une bête. Si nous tombons dans une embuscade, vous vous en sortirez plus sûrement sans mon poids derrière vous. À mon âge, je n'ai plus peur de périr si telle est la volonté de Dieu, même s'il faut que ce soit aux mains d'un cruel Sioux. »

Le vieil homme conseilla encore à ses amis de tenter de repérer la rivière en vue de la traverser pour se mettre plus à l'abri des habitants hostiles du territoire qu'ils parcouraient. Tous gardèrent donc l'œil ouvert, mais ils n'aperçurent pendant des lieues que la terre désolée où se posaient leurs pas, respirant avec difficulté à cause des masses de fumée que les vents traînaient. Au loin, le feu rageait toujours.

Tout à coup, le trappeur s'immobilisa et montra à ses compagnons la carcasse calcinée d'un cheval étendu dans une flaque d'eau. Ils demeurèrent un instant saisi par ce spectacle, qui leur rappelait quel aurait pu être leur sort.

Des empreintes de mocassins, près du cadavre, paraissaient dans le sol humide. Le maître du cheval avait visiblement tenté de sauver sa monture.

«Qu'a-t-il donc pu arriver au cavalier? demanda Inès, inquiète.

— Et voyez-vous cette étrange bête? ajouta le naturaliste.

— Ma foi! C'est la peau d'un buffle, constata le trappeur. Peut-être aurons-nous un bon repas!»

D'un geste sûr, il poussa la peau grillée avec son arme. Derrière, un guerrier indien s'était réfugié. L'air farouche, il se releva à la hâte, prêt à se défendre. Par un hasard heureux, c'était un jeune Pawnie que le guide connaissait. Ainsi, reconnaissant le vieux trappeur ami, le jeune homme se calma immédiatement.

«Mon jeune frère a été enfumé par les Sioux ! dit amicalement le trappeur.

— Les Sioux, répondit le Pawnie en montrant son mépris, sont mes ennemis jurés!

— Et les nôtres aussi, assura le vieillard. Notre ami armé du tomahawk veut-il emmener mes jeunes gens à son village? Si les Sioux surgissent, nous les combattrons ensemble.»

Fier et digne, l'Amérindien répondit au vieillard qu'après avoir fumé le calumet de paix, tous seraient bien accueillis dans les wigwams de son peuple. Les hommes seraient les bienvenus à la chasse et Inès apprendrait les chants des jeunes Pawnies. Ainsi en fut-il décidé.

L'or du Klondike

En 1896, des hommes ont découvert des pépites d'or au bord de la rivière Klondike, au Yukon. La nouvelle, qui s'est vite répandue, a déclenché une des plus grandes ruées vers l'or de l'histoire. Plus de 100 000 hommes et femmes sont venus prospecter au Yukon dans l'espoir de faire rapidement fortune. En deux ans, Dawson devient la plus importante ville à l'ouest de Winnipeg. On construit rapidement des hôtels, des salles de spectacles, des magasins et des saloons dans lesquels les aventuriers viennent se divertir de façon bruyante et souvent violente. En 1903, la fièvre de l'or est déjà terminée au Klondike, mais les chercheurs d'or auront quand même tiré de la région une valeur estimée à plus de 100 millions de dollars.

La ruée vers l'or, tu connais ? Lis ce texte qui résume ce phénomène.

Au plus fort de la ruée, 22 000 personnes traversent le col enneigé de Chilkoot pour chercher le précieux métal.

L'or est un métal rare et précieux qui a toujours fasciné les humains et suscité les convoitises. Ce métal jaune, qu'on a longtemps associé au Soleil, est tendre et malléable, et il a la grande qualité d'être inaltérable, c'est-à-dire de toujours conserver ses qualités. Excellent conducteur de chaleur et d'électricité, l'or est aussi un métal qui résiste très bien à la corrosion.

La ville de Dawson, au Yukon.

Les chercheurs d'or utilisaient un sas, sorte de tamis à gros trous, pour retirer les particules d'or du creux des rivières.

On trouve l'or en fines particules dans le lit de certaines rivières, mais surtout dans le sous-sol. Les plus grandes réserves d'or du monde se trouvent en Afrique du Sud.

À cause de ses propriétés, l'or est utilisé dans la bijouterie et dans l'industrie spatiale. Comme ce métal n'est pas toxique, on l'utilise en médecine. Signe de richesse, l'or est aussi conservé en importantes quantités dans les banques sous forme de lingots.

● Comment imagines-tu la vie des chercheurs d'or au Klondike ?

arts plastiques

Charles Marion Russell, le peintre cow-boy
(1864-1926)

L'écrivain et conteur Charles Marion Russell a aussi été le plus célèbre peintre de l'Ouest américain. À l'âge de 16 ans, Russell s'établit au Montana. Après avoir gardé des moutons quelque temps, il va vivre pendant deux ans dans une cabane, en pleine nature, puis réalise son rêve de devenir cow-boy. Il en profite pour faire des croquis très vivants des autres cow-boys pendant leur travail quotidien. Après avoir mené cette vie pendant 11 ans, il se consacre entièrement à son art.

Charles Russell avait de l'admiration pour les Amérindiens des grandes plaines de l'Alberta, à qui il rendit de nombreuses visites en 1888. Fait curieux, il a toujours porté la large ceinture de laine des Métis, et tous ont fini par associer le peintre à cette ceinture.

Parce que les gens étaient fascinés par les Amérindiens, les cow-boys, les chevaux et les beautés sauvages de l'Ouest, les toiles du peintre américain Russell ont tout de suite été très populaires. Ses 4000 œuvres marquées par un grand dynamisme et une profonde connaissance des sujets dépeints ont inspiré une foule de peintres et de dessinateurs.

A tight Dally and a loose Latigo, un tableau très représentatif de l'œuvre de Russell.

La Gendarmerie royale du Canada

Après la Confédération canadienne de 1867 et devant l'agrandissement continuel du territoire national, le gouvernement d'Ottawa devait faire face à une énorme responsabilité, celle d'assurer la paix et l'ordre dans l'immensité des plaines où la colonisation n'en était qu'à ses débuts. La violence et le désordre, qui régnaient partout dans les nouveaux territoires de l'Ouest, empêchaient tout développement social et économique durable.

Un peu partout, des contrebandiers vendaient de l'alcool aux Amérindiens à des prix exorbitants. La vente d'alcool était strictement interdite par la loi, mais il n'y avait personne pour la faire respecter. En juin 1873, à Cypress Hills, sur le territoire actuel de la Saskatchewan, des chasseurs américains ivres massacrèrent 36 Assiniboines, des hommes, des femmes et des enfants, après les avoir injustement soupçonnés du vol d'un cheval. La situation était devenue intolérable.

En 1873, le premier ministre canadien de l'époque, sir John A. Macdonald, créa la Gendarmerie royale du Canada (GRC). Son objectif était de former une force policière qui ferait régner l'ordre dans les territoires qui allaient bientôt devenir l'Alberta et la Saskatchewan. Ce corps de police, qui portait alors le nom de Police à cheval du Nord-Ouest (PCNO), ne comptait à cette époque qu'environ 275 hommes.

Dès le 8 juillet 1874, déjà vêtus de la célèbre tunique rouge, tous les hommes de la PCNO entreprirent un voyage de 1200 kilomètres vers l'ouest pour aller accomplir leur mission. Après trois mois de randonnée épuisante, d'échecs et de détours, souffrant de la chaleur et du manque d'eau, la presque totalité des hommes engagés dans l'aventure arrivèrent à la rivière Old Man. Là, ils construisirent le premier poste de police de l'Ouest canadien, le fort Macleod.

Les hommes de cette glorieuse expédition avaient pour objectifs d'établir des relations amicales avec les Premières Nations, de combattre la contrebande d'alcool, de superviser l'application des traités signés entre le gouvernement fédéral et les Premières Nations, et d'assurer le bien-être des immigrants en s'attaquant à des problèmes de tout ordre : feu, maladie, pauvreté et criminalité. Dans les faits, ils remplirent aussi bien d'autres tâches, notamment assurer le service postal et officier les mariages et les enterrements.

Quelques années plus tard, de 1882 à 1885, la police à cheval fut chargée d'assurer la sécurité pendant la construction de la ligne ferroviaire du Canadien Pacifique. Les officiers devaient notamment voir à ce que personne ne fasse de paris ou ne boive de l'alcool dans un rayon de 15 kilomètres autour des chantiers pour assurer le bon déroulement des travaux. Le chemin de fer amena la création de nombreuses petites municipalités, ce qui obligea le gouvernement canadien à augmenter les effectifs du déjà célèbre corps policier.

Devant l'excellence du travail de la PCNO, on étend sa zone de surveillance au Yukon en 1895. En 1904, en reconnaissance des services rendus dans le développement de l'Ouest canadien, le roi Édouard VII d'Angleterre décerne à cette gendarmerie à cheval l'adjectif « royale ». Elle devient ainsi la Royale Gendarmerie à cheval du Nord-Ouest (RGCNO).

En 1914, les responsabilités de la RGCNO changent en raison de la guerre mondiale qui vient d'éclater. Les officiers à cheval sont alors chargés de surveiller les frontières du pays et les étrangers présentant une menace pour la sécurité nationale. En 1918, on charge la Gendarmerie d'assurer l'application des lois fédérales dans les quatre provinces de l'ouest du pays, en plus du Yukon et des Territoires du Nord-Ouest.

Un poste de la Police à cheval du Nord-Ouest à Dawson, au Yukon.

En 1919, des grèves majeures touchent les milieux ouvriers de l'Ouest, dont une grève générale dans la ville de Winnipeg. Des émeutes y ont lieu et, aux yeux d'Ottawa, la police municipale réagit trop mollement. Afin de s'assurer que l'ordre règne dans tout le pays, le gouvernement fédéral fusionne la GRCNO avec la police du Dominion qui était alors la police fédérale de l'est du pays. Ce nouveau corps policier prend le nom de Royale Gendarmerie à cheval du Canada (RGCC) et son autorité s'étend dès lors à l'ensemble du territoire.

Étant devenue l'organisme dominant de la police canadienne, la Gendarmerie a dû, dans les années 1930, développer des services de police nationaux comme l'enregistrement des armes à feu et la tenue des fichiers judiciaires. En 1949, ce corps policier prend officiellement le nom de Gendarmerie royale du Canada (GRC). Au cours des années 1970, on lui confie la lutte antidrogue et la sécurité des aéroports.

Aujourd'hui, la GRC est unique au monde puisqu'elle est à la fois un service de police municipal, provincial et national. Elle sert toujours de police provinciale aux 3 territoires canadiens et à 8 des 10 provinces canadiennes, à l'exception du Québec et de l'Ontario, et de police municipale à 198 municipalités et à 192 collectivités des Premières Nations. De plus, son rayonnement dépasse les frontières, puisque la GRC conseille des polices de jeunes pays comme le Kosovo ou la Croatie.

Quelles ont été les tâches les plus importantes de la Gendarmerie royale, selon toi ?

Jours de plaine

Y a des jours de plaine on voit jusqu'à la mer
Y a des jours de plaine on voit plus loin que la terre
Y a des jours de plaine où l'on entend parler nos grands-pères dans le vent

Y a des jours de plaine j'ai vu des Métis en peinture de guerre
Y a des jours de plaine j'entends gémir la langue de ma mère
Y a des jours de plaine on n'entend plus rien à cause du vent

J'ai grandi sur la plaine, je connais ses rengaines et ses vents
J'ai les racines dans la plaine, j'ai toutes ses rengaines dans le sang
J'ai des racines en France aussi longues que la terre

Une langue qui danse aussi bien que ma mère
Une grande famille, des milliers de frères et sœurs dans le temps
J'ai des racines en France aussi fortes que la mer

Une langue qui pense, une langue belle et fière
Et des milliers de mots pour le dire, et comment je vis et qui je suis
J'ai grandi sur la plaine, je connais ses rengaines et ses vents
J'ai les racines dans la plaine, j'ai toutes ses rengaines dans le sang

Y a des jours de plaine où dans les nuages on voit la mer
Y a des soirs de plaine où on se sent seul sur la terre
Y a des nuits de plaine où y a trop d'étoiles, y a trop de lune, le ciel est trop clair

Y a des jours de plaine où on voit plus loin que la terre
Y a des jours de plaine où je n'entends plus la langue de ma mère
Y a des jours de plaine où même mes grands-pères ne sont plus dans le vent

J'ai grandi sur la plaine, je connais ses rengaines et ses vents
J'ai les racines dans la plaine, j'ai toutes ses rengaines dans le sang

Daniel LAVOIE

Le développement de la Côte Ouest

Lis ce texte qui montre les diverses facettes du développement de la Côte Ouest depuis le milieu du 19e siècle.

Des origines à la Confédération

Au Canada, sur la Côte Ouest, la vie sociale non autochtone a commencé à Victoria, en 1843, avec l'installation d'un poste de traite de fourrures de la Compagnie de la Baie d'Hudson. Mais le véritable envol a lieu en 1858, après la découverte de pépites d'or dans le lit du fleuve Fraser. Soudain, 20 000 mineurs sont arrivés à Victoria pour faire fortune. Cette ruée vers l'or a donné naissance à de nombreuses villes.

Treize ans plus tard, en 1871, les 12 000 habitants non autochtones de la Colombie-Britannique décidaient de joindre les rangs de la Confédération canadienne, mais à la condition que la province soit reliée aux autres provinces canadiennes par un chemin de fer. Cet ambitieux projet sera terminé en 1885.

La population de la Côte Ouest vers 1905

Vers 1905, la population de la Côte Ouest se composait principalement de trois groupes ethniques : les Britanniques, les Amérindiens et les Asiatiques. Les Britanniques formaient le groupe le plus nombreux, représentant 75 % de la population. Plusieurs d'entre eux étaient des investisseurs désireux de développer des entreprises commerciales et industrielles pour profiter des ressources naturelles dont la province regorgeait, l'or et le bois par exemple.

Quant aux Amérindiens, bien qu'ils aient été jadis très nombreux, leur nombre n'avait pas cessé de décroître depuis l'arrivée des premiers colons européens. L'arrivée massive d'immigrants a bouleversé encore plus profondément leur mode de vie. Ils ont aussi été gravement frappés par des maladies européennes comme la grippe, la rougeole et la variole.

Enfin, il y a les Asiatiques. Ce groupe d'immigrants ne comprenait que des Chinois à la fin du 19ᵉ siècle. Ils arrivaient par milliers pour participer à la construction du chemin de fer. Mais au début du 20ᵉ siècle, des Japonais et des Indiens ont immigré à leur tour sur la Côte Ouest. La plupart de ces immigrants très pauvres voulaient économiser suffisamment d'argent pour rentrer dans leur pays et s'acheter un petit lopin de terre. Très peu d'entre eux y sont parvenus.

← La plupart des immigrants asiatiques sont restés au pays, occupant des emplois mal payés, dans les conserveries de poisson par exemple.

↓ Les ouvriers chinois ont joué un rôle important dans la construction du chemin de fer. Plusieurs sont morts du scorbut ou ont perdu la vie pendant de dangereux travaux, la mise en place de charges explosives notamment. On a calculé que chaque kilomètre de voie ferrée avait coûté la vie d'un travailleur.

Les transports

Deux moyens de transport étaient indispensables à l'économie de la Côte Ouest : les trains et les bateaux. La Colombie-Britannique avait exigé un chemin de fer pour se joindre à la Confédération canadienne. Pourquoi ? Parce que ce chemin de fer la relierait aux grandes villes de l'est, principale voie d'entrée des immigrants européens. Et la province avait absolument besoin d'immigrants pour se développer. De plus, le chemin de fer servirait à acheminer les ressources naturelles et les marchandises de la province vers les Prairies et les grands marchés de l'est du pays. Malheureusement, il faudra 15 ans au gouvernement fédéral pour remplir ses engagements.

Quant au transport par voie maritime, il permettait à la Colombie-Britannique d'établir des liens commerciaux avec la Californie et les pays asiatiques, principalement la Chine et le Japon, et d'en amener de nouveaux immigrants. Trois paquebots assuraient une liaison mensuelle entre Vancouver et l'Asie.

Le développement industriel

On a rapidement tiré profit des diverses ressources natu-relles de la Colombie-Britannique. La grande variété de métaux du sous-sol a amené l'exploitation de mines de charbon, d'ar-gent, de zinc, de plomb et d'or. Cette extraordinaire disponibilité des minéraux assurait des profits si importants aux dirigeants que ces derniers pouvaient offrir les meilleurs salaires, jusqu'à trois dollars par jour, soit presque deux fois plus que ce qu'of-fraient les compagnies de chemin de fer.

Des travailleurs d'une mine de charbon.

Sur les grandes terres vierges, on a créé d'immenses ranchs pour produire du bétail. Cette production n'était pas coûteuse puisque les bêtes se nourris-saient des plantes d'un sol très fertile. On estime que chaque bête rapportait 10 fois la somme investie pour son achat. Ce marché était si florissant qu'en 1900 la province a vendu 100 000 têtes de bétail à l'Angleterre.

D'autres industries ont permis de diversifier l'économie, notamment les scieries, la pêche et les conserveries de poisson. Grâce à sa prospérité économique, la ville de Vancouver supplanta rapidement Victoria, la capitale, en ce qui a trait à la population et elle s'imposa vite comme la véritable métropole de la Colombie-Britannique. Ainsi, entre 1901 et 1911, sa population quadrupla, passant de 27 000 à 100 000 habitants.

Des nuages à l'horizon

Malheureusement, la plus importante ville de la Côte Ouest a eu sa part de problèmes. Le plus criant était le racisme dont étaient victimes les Chinois, les Japonais et les Indiens. Comme les Asiatiques acceptaient de faire n'importe quel travail à un salaire moindre que celui des colons britanniques et qu'ils étaient reconnus par les patrons pour être assidus, sobres et faciles à diriger, ils ont vite été considérés comme une menace pour les travailleurs d'origine européenne.

Le 7 septembre 1907, une foule en colère mena de violentes émeutes anti-asiatiques pendant trois jours sans que la police intervienne. La foule saccagea les quartiers chinois et japonais en manifestant une incroyable intolérance raciale.

À ce problème s'ajoutait la misère habituelle des quartiers ouvriers de cette époque d'industrialisation : manque d'hygiène, malnutrition, maladies infectieuses, alcoolisme et violence. Vancouver était bien semblable sur ce plan aux autres grandes villes industrielles du pays.

Un commerce japonais saccagé.

Aujourd'hui

Aujourd'hui, la Colombie-Britannique est une province prospère. Son économie repose sur ses importantes ressources naturelles, sur l'agriculture et le tourisme. Sa population comprend une communauté chinoise bien intégrée de plus de 100 000 habitants, la deuxième en importance en Amérique du Nord.

- Quels aspects du développement de la Côte Ouest t'intéressent le plus ? Explique.
- Quelles sont les questions qui ont émergé à la lecture de ce texte ?

Le dragon de fer

Claire St-Onge

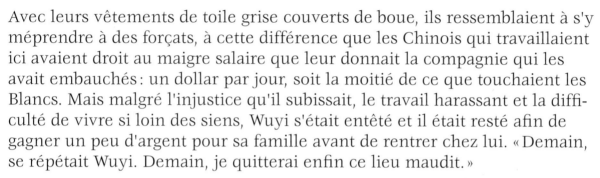

Pour la trentième fois depuis le matin, Wuyi poussa péniblement sa brouette chargée de pierres jusqu'en haut de la butte et en déversa le contenu dans le fossé qui longeait la voie ferrée en construction. Il s'arrêta un instant pour resserrer les bandelettes de tissu qu'il avait nouées autour de ses mains endolories. Autour de lui, des dizaines d'autres ouvriers chinois s'affairaient à extraire de la montagne les tonnes de roc qu'on avait fait exploser la veille.

Avec leurs vêtements de toile grise couverts de boue, ils ressemblaient à s'y méprendre à des forçats, à cette différence que les Chinois qui travaillaient ici avaient droit au maigre salaire que leur donnait la compagnie qui les avait embauchés : un dollar par jour, soit la moitié de ce que touchaient les Blancs. Mais malgré l'injustice qu'il subissait, le travail harassant et la difficulté de vivre si loin des siens, Wuyi s'était entêté et il était resté afin de gagner un peu d'argent pour sa famille avant de rentrer chez lui. « Demain, se répétait Wuyi. Demain, je quitterai enfin ce lieu maudit. »

S'en retournant vers le tunnel pour y prendre un autre chargement, il songeait aux circonstances de son départ pour le Canada, quinze mois plus tôt.

L'année du dragon approchait et tout le monde attendait ardemment ses effets bénéfiques. Car partout au pays, et davantage encore dans le sud, l'année 1879 avait été marquée par une succession de catastrophes qui avaient laissé la population démunie et affamée. Le petit village de Yangshuo, où était né Wuyi, n'y avait pas échappé, la plus récente inondation ayant détruit la récolte de riz sur laquelle comptaient tous les villageois pour éloigner la famine.

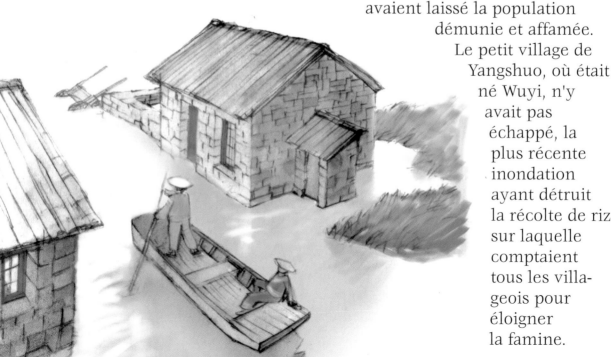

C'était au lendemain de ce terrible coup du sort que Wuyi avait entendu parler pour la première fois du dragon de fer.

Son père et son oncle Chen étaient au courant que de plus en plus de compatriotes partaient travailler à l'étranger dans l'espoir d'offrir une vie meilleure à leurs familles. Ils avaient appris que, dans le nord de l'Amérique, dans un pays appelé Canada, on construisait un chemin pour faire passer un dragon de fer que rien ne devait arrêter — pas même les montagnes, pourtant si puissantes et si hautes que le ciel venait souvent s'y poser. Wuyi, qui n'avait jamais vu, de sa jeune vie, quoi que ce soit qui ressemblât à une machine, avait alors imaginé un fabuleux dragon de métal bleu transportant voyageurs et marchandises d'un bout à l'autre de ce pays qui semblait enchanté.

Dans les jours qui suivirent, Wuyi s'était efforcé de convaincre son père de le laisser accompagner oncle Chen, qui avait décidé d'aller tenter sa chance au Canada. Zhou Wang n'était pas très favorable à l'idée de laisser partir son fils aîné, car Wuyi était un bon paysan qui ne ménageait pas sa peine dans la rizière.

«Tout ira bien, l'avait rassuré oncle Chen, nous serons de retour dans une année.»

Ils étaient donc partis vers Hong Kong et s'étaient embarqués sur un navire vers le pays du dragon de fer.

Une fois rendus à Vancouver, ils avaient suivi un groupe de compatriotes avec qui ils avaient fraternisé pendant le voyage et n'avaient pas tardé à se faire embaucher sur l'immense chantier de la compagnie ferroviaire. Mais voilà que, quelques jours à peine après leur arrivée dans ce pays peuplé de montagnes et de rivières, Wuyi et son oncle commençaient déjà à regretter les rizières dévastées de Yangshuo, car le sort qui était réservé ici aux travailleurs chinois n'avait rien d'enviable. Considérés comme une main-d'œuvre de second ordre, ils étaient chargés des tâches les plus difficiles et les plus dangereuses.

Des hommes qui travaillaient sur le chantier depuis quelque temps déjà leur racontèrent qu'ils voyaient mourir des compatriotes presque chaque jour : des ponts en construction s'effondraient, entraînant les ouvriers qui s'y affairaient dans les eaux profondes et tumultueuses, et on ne comptait plus les accidents causés par la manipulation des explosifs dont on se servait pour creuser les tunnels dans les montagnes.

Ceux qui avaient la chance d'échapper à toutes ces catastrophes devaient encore, une fois leur journée de dur labeur terminée, parcourir à pied les kilomètres qui les séparaient de leur campement de fortune. Ils rentraient fourbus, exténués, souvent blessés ; d'autres tombaient malades à cause du froid, souvent cinglant la nuit, ou souffraient du scorbut parce qu'ils étaient mal nourris.

Ainsi donc le fabuleux dragon de fer imaginé par Wuyi n'était en réalité qu'un démon impitoyable qui se nourrissait de la sueur et du sang des ouvriers. Pourtant, ni Wuyi, qui n'avait que 15 ans, ni son oncle n'avaient alors songé à retourner chez eux, à Yangshuo. Habitués aux durs travaux, ils pouvaient compter sur leurs solides mains de paysans pour résister à ces conditions misérables. À dire vrai, ils n'avaient pas le choix, ayant dépensé le peu qu'ils avaient pour acheter des couvertures et de l'équipement.

Puis il y eut l'accident. Ils travaillaient depuis trois mois à peine lorsque l'oncle Chen périt dans l'effondrement d'un tunnel. Wuyi s'était retrouvé seul au bout du monde, désemparé et triste comme les pierres. Seul le désir qu'il avait d'aider sa famille lui avait permis de tenir bon pendant ces jours et ces mois qui n'en finissaient plus. «Demain, se répéta Wuyi. Demain...»

Le tintement de la cloche annonça la fin de la journée de travail. Lentement, les ouvriers chinois déposèrent pioches et pelles avant de se regrouper pour reprendre la route de leur campement, tandis que les Blancs partaient dans une autre direction. Wuyi retourna une dernière fois sa brouette de l'autre côté de la butte et s'en alla rejoindre Lee, un compagnon de son âge avec qui il s'était lié après la mort de l'oncle Chen.

«Alors? questionna Lee. C'est bien vrai? Te voici enfin libre?»

Pour la première fois depuis très longtemps, Wuyi parvint à esquisser un sourire.

«Oui. Le dragon de fer n'a pas réussi à avoir ma peau. Et dans quelques semaines, je serai de retour chez moi, à Yangshuo.»

LES MONSTRES D'AILLEURS

Pour le peuple des Tlingit de la lointaine région Li-Tu-Ya, située entre le Soleil et la Lune, il était grand temps d'aller chercher du cuivre dans la profonde mine ancestrale, comme c'était la coutume une fois chaque génération.

Cela demandait une certaine préparation, car le métal jaune était enfoui au loin, dans le sol de leur pays froid couvert de neige et de glace. Pour s'y rendre, il fallait des traîneaux, et pour tirer ces traîneaux, de bons chiens bien attelés. Avec eux, les Tlingit apportaient des pics solides avec lesquels ils creuseraient le sol pour en extraire le précieux métal.

Pour conduire l'expédition, on avait choisi des jeunes garçons et des jeunes filles sans expérience, mais braves, débrouillards et alertes. À leur tête trônait un ancien qui avait participé à l'expédition de la génération précédente. L'homme, très vieux, avait presque complètement perdu la vue. Il était cependant convaincu qu'il saurait retrouver d'instinct le lieu en évitant les obstacles et les dangers...

Mais après tant d'années, les souvenirs de l'ancien étaient-ils vraiment demeurés intacts ? Une telle expédition, qui a lieu la nuit, se passe un peu comme dans un rêve, et on oublie bien de nos rêves ! L'ancien avait jadis vu d'infinies étendues de blanche neige, des monts, des vallons, des plaines, des rivières et des lacs gelés, mais tout cela n'avait-il pas fini par se ressembler et se confondre ?

* * *

Ainsi, depuis des heures, les chiens couraient dans la nuit éclairée par la lueur de la lune, traînant leur charge sans grand-peine. C'étaient de bons chiens. Mais les jeunes Tlingit commençaient à douter de leur direction. De son côté, le vieux s'était enfermé dans un mutisme qui n'avait rien de rassurant. Une jeune femme mit sa main sur le bras de l'ancien et lui dit :

« J'aperçois dans la rafale une bande de fumée qui monte vers le ciel. Devrions-nous aller voir ?

— Je le crois bien, dit le vieux. Dans ces lieux reculés, il ne peut s'agir que de l'abri d'un sage ermite qui saura nous remettre sur notre chemin si nous l'avons perdu... »

Arrivé là-bas, l'ancien débarqua du traîneau et se dirigea vers l'entrée d'une grotte où se tenaient une très vieille femme et un gros ours allongé. Tranquille, l'ancienne regarda son visiteur et lui dit :

« Pour trouver la mine de métal jaune, allez en direction de la plus haute colline. Mais méfiez-vous, car deux malins génies rôdent par là. Ce sont de proches parents qui prennent plaisir à terrifier les gens pour les changer ensuite en pierres. Et il y a une autre créature immonde à redouter : l'aigle noir aux ailes blanches. »

Après avoir sincèrement remercié la vieille femme, l'ancien répéta ses paroles à ses jeunes compagnons, non pour les affoler, mais afin qu'ils aient plus de chances d'échapper aux ennemis. Avant de repartir, chacun se masqua le visage pour ne pas être reconnu.

Peu de temps s'écoula avant que les deux esprits malins paraissent. En voyant les masques, ils se firent un clin d'œil amusé. Ils offrirent aux voyageurs de les guider jusqu'au chemin de la mine, le plus amicalement qui soit. Puis ils disparurent sans rien dire.

Les jeunes et leur ancêtre se croyaient hors de danger. Mais bientôt ils aperçurent un gros oiseau noir qui se baignait dans un cours d'eau. Ses ailes étaient bel et bien blanches.

«Tuons-le avant qu'il nous aperçoive», chuchota l'ancien.

Tandis qu'ils s'approchaient du volatile, celui-ci projeta une boule de feu bien dense vers le vieil homme, qui la reçut en pleine poitrine. Gagnés par la peur, les jeunes repartirent immédiatement en direction de leur peuple.

Face à ce vent de panique, une autre ancienne du village prit la parole. Ce qu'elle proposait, c'était de tenter de calmer l'aigle noir aux ailes blanches en lui offrant de la nourriture. Les jeunes, avec à leur tête la nouvelle chef, repartirent donc chargés de viande.

Apercevant le grand oiseau là où ils l'avaient laissé plus tôt, ils s'approchèrent de lui en chantant doucement de façon à l'apaiser. Quand ils furent tout près de lui, ils s'aperçu- rent qu'il s'était transformé en grand canoë de bois. Dedans, il y avait plein de petits monstres repoussants et affa- més. Les présents furent donc acceptés, en échange de réci- pients et de belles parures de cuivre, le métal jaune tant convoité.

Contents du résultat de leur expédition, les Tlingit rentrèrent à Li-Tu-Ya, après avoir offert une sépulture au pauvre vieil homme décédé. Dans leurs nouveaux récipients, ils firent cuire un repas de fête. Mais le résultat était dégoûtant : de gros vers blancs semblaient s'être dégagés de ces présents empoisonnés. Ils flottaient sur le ragoût fumant et puant.

« Grand bien nous fasse, dit la sage qui avait mené la seconde expédition. Voilà une mixture dont nous saurons tirer profit. » Puis elle se dirigea vers les plaines avec la bouillie.

Intrigué, son peuple la suivit discrètement. Cachés derrière des buttes de neige, petits et grands virent la sage offrir ce repas répugnant aux deux esprits malins qui les avaient plus tôt guidés vers l'oiseau ennemi. Les deux comparses avalèrent chacun une grande louche de la mixture, puis se changèrent immédiatement en pierres. Ils avaient subi leur propre châtiment.

Ayant enfin retrouvé la sérénité, les Tlingit reprirent leurs récipients traditionnels faits d'écorce et de cuir de morse, et ils mangèrent un excellent repas de fête. Depuis cette éprouvante mais très profitable expédition, ils n'ont plus jamais craint les mauvais esprits.

Des façons de compléter le nom

Il existe plusieurs façons de compléter un nom, qui est toujours le noyau d'un groupe du nom. Un **complément du nom** peut être :

- un **adjectif** placé avant ou après le nom

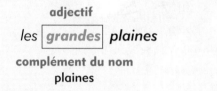

adjectif

les grandes plaines

complément du nom
plaines

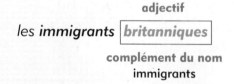

adjectif

les immigrants britanniques

complément du nom
immigrants

- un **GN précédé d'une préposition**, placé après le nom

prép. + GN

la conquête de l'Ouest

complément du nom
conquête

- un **GN** entre virgules, placé après le nom

GN

Mon frère, grand amateur de westerns , aime beaucoup ce film.

complément du nom
frère

- une **phrase introduite par le pronom relatif** que ou qui

pron. relatif
qui
|

Une telle expédition, qui a lieu la nuit , se passe comme dans un rêve.

complément du nom
expédition

Des façons de compléter le verbe

Le verbe, noyau du groupe du verbe, peut être complété par :

○ un **complément direct (CD)**

GN

Au Yukon, des hommes **ont découvert** ┌ *des pépites d'or* ┐ .

complément direct du verbe
ont découvert

> En général, le complément direct est **un groupe du nom**.

○ un **complément indirect (CI)**

prép.   + GN

Les plus grandes réserves d'or **se trouvent** ┌ *en Afrique du Sud* ┐ .

complément indirect du verbe
se trouvent

> En général, le complément indirect du verbe est **un groupe du nom** précédé d'une préposition.

○ un **complément direct (CD)** et un **complément indirect (CI)**

On **a** *longtemps* **associé** ┌ *l'or* ┐ ┌ *au Soleil* ┐ .

CD   CI
du verbe a associé

○ un **attribut du sujet** quand on utilise le verbe **être** ou un verbe qui peut être remplacé par **être**, comme **paraître**, **sembler**, **devenir**, **demeurer**, **rester**

adjectif participe

En 1903, la fièvre de l'or **était** ┌ *terminée* ┐ .

attribut du sujet
la fièvre de l'or

GN

Dawson **devient** ┌ *une ville importante* ┐ .

attribut du sujet
Dawson

> En général, l'attribut du sujet est un **adjectif** (ou un **adjectif participe**) ou un **groupe du nom**.

Le verbe venir

INDICATIF		
Présent	**Imparfait**	**Futur simple**
Je viens	Je venais	Je viendrai
Tu viens	Tu venais	Tu viendras
Il / elle vient	Il / elle venait	Il / elle viendra
Nous venons	Nous venions	Nous viendrons
Vous venez	Vous veniez	Vous viendrez
Ils / elles viennent	Ils / elles venaient	Ils / elles viendront
Passé composé	**Passé simple**	**Conditionnel présent**
Je suis venu / venue		Je viendrais
Tu es venu / venue		Tu viendrais
Il / elle est venu / venue	Il / elle vint	Il / elle viendrait
Nous sommes venus / venues		Nous viendrions
Vous êtes venus / venues		Vous viendriez
Ils / elles sont venus / venues	Ils / elles vinrent	Ils / elles viendraient

IMPÉRATIF	SUBJONCTIF	PARTICIPE	
Présent	**Présent**	**Présent**	**Passé**
	Que je vienne	Venant	Venu
Viens	Que tu viennes		Venue
	Qu'il / elle vienne		Venus
Venons	Que nous venions		Venues
Venez	Que vous veniez		
	Qu'ils / elles viennent		

Le verbe dire

INDICATIF		
Présent	**Imparfait**	**Futur simple**
Je dis	Je disais	Je dirai
Tu dis	Tu disais	Tu diras
Il / elle dit	Il / elle disait	Il / elle dira
Nous disons	Nous disions	Nous dirons
Vous dites	Vous disiez	Vous direz
Ils / elles disent	Ils / elles disaient	Ils / elles diront
Passé composé	**Passé simple**	**Conditionnel présent**
J'ai dit		Je dirais
Tu as dit		Tu dirais
Il / elle a dit	Il / elle dit	Il / elle dirait
Nous avons dit		Nous dirions
Vous avez dit		Vous diriez
Ils / elles ont dit	Ils / elles dirent	Ils / elles diraient

IMPÉRATIF	SUBJONCTIF	PARTICIPE	
Présent	**Présent**	**Présent**	**Passé**
	Que je dise	Disant	Dit
Dis	Que tu dises		Dite
	Qu'il / elle dise		Dits
Disons	Que nous disions		Dites
Dites	Que vous disiez		
	Qu'ils / elles disent		

Les familles de mots

- On peut **créer de nouveaux mots** en français en **ajoutant un élément** au début ou à la fin d'un mot qui existe déjà.

  Par exemple, à partir du mot **migrer**, on obtient les mots **é**migrer, **im**migrer et **migr**ation.

- Lorsque l'élément est ajouté au début du mot, c'est un **préfixe**. Quand il est ajouté à la fin, c'est un **suffixe**. Le mot à partir duquel on forme de nouveaux mots est le **mot de base**, qui peut être un **nom**, un **verbe** ou un **adjectif**.

> Pour former un nouveau mot à partir d'un verbe à l'infinitif, il faut retrancher la terminaison avant d'ajouter le suffixe.

Préfixe		**Mot de base**		
dés	+	***espoir*** (nom)	=	*dés**espoir*** (nom)
re	+	***chercher*** (verbe)	=	*re**chercher*** (verbe)
in	+	***capable*** (adjectif)	=	*in**capable*** (adjectif)

Mot de base		**Suffixe**		
peur (nom)	+	*eux*	=	***peur**eux* (adjectif)
nettoy(er) (verbe)	+	*age*	=	***nettoy**age* (nom)
beau (adjectif)	+	*té*	=	***beau**té* (nom)

- Certains mots comportent à la fois un **préfixe** et un **suffixe**.

  im + *migr(er)* + *ation* = *immigration*

- On peut créer des mots en **combinant certains mots**, réunis ou non par un trait d'union. Ces mots peuvent aussi être soudés l'un à l'autre.

arc-en-ciel	*chemin de fer*	*photocopie*
après-midi	*pomme de terre*	*portefeuille*
cow-boy	*raton laveur*	*tournevis*
grille-pain	*tout à coup*	*bientôt*

- Tous les mots obtenus à partir d'un même **mot de base** forment une **famille de mots**. Toutefois, pour faire partie d'une même famille de mots, les mots doivent avoir un **lien de sens**.

  Ainsi, le mot **pêche**, qui désigne un fruit, et le mot **pêcheur**, qui désigne une personne qui s'adonne à l'activité de la pêche, ne font pas partie de la même famille parce qu'ils ne sont pas liés par le sens.

Lire et comprendre un document iconographique

Pour écrire l'histoire, l'historienne ou l'historien doit étudier de nombreux documents. Un document est une trace laissée par une action humaine : un texte (une lettre, un article de journal, etc.), un objet, un bâtiment ou encore une œuvre d'art. Grâce au document, on peut faire la preuve d'un événement qui s'est déroulé dans le passé. Par le fait même, on s'informe sur la société dans laquelle s'est produit cet événement.

Le document iconographique se rapporte à l'image. Il peut prendre des formes très variées : une peinture, un dessin, une affiche, une photographie, etc. Voici un exemple : une illustration publiée dans un journal canadien-français du 19ᵉ siècle.

Observe d'abord les éléments de l'illustration :
- le nom de l'auteur;
- le titre;
- la date;
- les personnages, les objets et l'endroit où ils se trouvent.

Henri Julien, *Le réveillon de Noël à la campagne*, 1881.

Ensuite, pose-toi différentes questions :
- Qui sont ces gens ? Pourquoi sont-ils réunis ? De quelle saison s'agit-il ?
- De quelle pièce de la maison s'agit-il ? Comment est-elle meublée, décorée, éclairée ?
- Comment les gens sont-ils habillés ? Les enfants s'habillent-ils comme les adultes ? Etc.

Tes réponses te permettront de mieux connaître l'ambiance d'un Noël à la campagne dans le Québec du 19ᵉ siècle.

Lire une carte II

Une carte, c'est une représentation réduite de la surface d'une région, d'un continent ou même de la Terre entière. Afin de mesurer la distance réelle entre deux endroits représentés sur une carte, les spécialistes ont imaginé un outil très utile. C'est l'échelle graphique, une petite ligne graduée que l'on trouve au bas de la plupart des cartes. Observe l'échelle graphique de la carte ci-dessous.

La distance calculée ainsi demeure la distance en ligne droite entre les deux villes. On l'appelle «distance à vol d'oiseau». Cependant, lorsque tu circules en voiture, les routes ne sont pas toujours droites et la distance peut être plus grande.

La péninsule gaspésienne

Selon cette échelle, 1 centimètre sur la carte est égal à 20 kilomètres dans la réalité. À l'aide d'une règle, tu peux facilement trouver la distance entre Gesgapegiag et Bonaventure. Mesure la distance qui sépare les deux points. Il y a 2 centimètres. Si 1 centimètre sur la carte est égal à 20 kilomètres dans la réalité, alors la distance entre Gesgapegiag et Bonaventure est de 40 kilomètres.

LA RECONSTITUTION

Lis ce texte
qui t'explique
brièvement
ce qu'est
la science.

Introduction à la science

L'histoire de l'humanité fournit d'innombrables cas de croyances bizarres. Par exemple, les Romains de l'Antiquité pensaient que la foudre était une manifestation de la colère du dieu Jupiter. Et, au siècle dernier, des gens croyaient qu'il suffisait de mélanger de vieux tissus à des grains de blé pour faire apparaître des souris.

Aujourd'hui, on sait, grâce à la science, que de telles idées sont saugrenues. La science moderne est un ensemble organisé de connaissances dans une foule de domaines comme l'astronomie, la biologie, la chimie, la géologie, etc. La science se fonde sur une démarche rigoureuse qu'on appelle la «méthode scientifique». Cette méthode consiste pour les scientifiques à observer des phénomènes, à émettre des hypothèses pour les expliquer et à tester ces hypothèses en faisant des expériences. Les hypothèses ne deviennent des lois scientifiques que si elles sont confirmées par les expériences. Et ces lois restent valables jusqu'à ce que de nouvelles lois viennent les infirmer ou les remplacer, car la science est toujours en mouvement.

La curiosité de l'être humain, insatiable, l'amène à trouver chaque jour de nouvelles réponses aux questions qu'il se pose, des réponses qui suscitent des questions plus nombreuses encore. Plus la science progresse, plus elle découvre des mystères à percer. C'est la curiosité qui pousse sans cesse la science vers l'avant.

○ Quels sont les domaines scientifiques que tu connais ?

○ Quelle est, selon toi, la place de la science dans la société et dans la vie de tous les jours ?

Armand Frappier, le précurseur

Lis ce portrait d'un grand scientifique d'ici.

Armand Frappier est né à Valleyfield en 1904. Jeune homme aux multiples talents, il se passionne autant pour la chimie que pour le violon. En 1923, il décide d'entreprendre des études en médecine pour trouver un remède contre la maladie qui a tué sa mère, la tuberculose.

Étudiant appliqué et doué, il obtient rapidement un premier diplôme qui lui permet d'enseigner la médecine tout en faisant des recherches pour vaincre la tuberculose. À partir de 1930, il fait des études en chimie biologique à Montréal, aux États-Unis et en France. Il a alors la chance d'étudier avec les découvreurs du vaccin antituberculeux, Albert Calmette et Camille Guérin. De retour au Québec en 1938, il fonde l'Institut de microbiologie et d'hygiène de Montréal auquel il fixe quatre objectifs précis : faire de la recherche, fabriquer des produits biologiques, enseigner et se mettre au service de la communauté. Aujourd'hui, cet institut poursuit les mêmes objectifs. Seul son nom a changé : depuis 1975, il s'appelle l'Institut Armand-Frappier.

Armand Frappier.

Le musée Armand-Frappier.

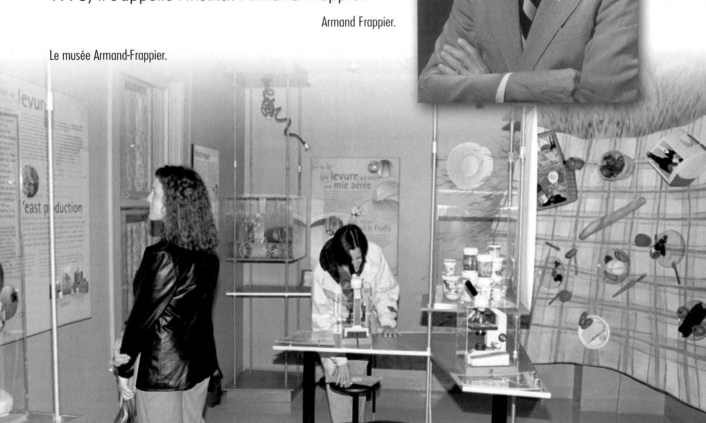

C'est au laboratoire du docteur Frappier que l'on met au point, à la fin des années 1930, un procédé de fabrication sécuritaire pour le premier vaccin antituberculeux, le BCG. Mais ce n'est qu'après la guerre de 1939-1945 qu'on fait des campagnes de vaccination systématiques auprès de la population canadienne. Celles-ci vont permettre d'éradiquer presque complètement la tuberculose. Un des plus grands rêves d'Armand Frappier vient alors de se réaliser.

À la même époque, à sa recommandation, la pénicilline, un puissant antibiotique récemment découvert, est mise à la disposition de tous les médecins, ce qui permet de guérir de nombreuses infections.

Jusqu'à sa mort, survenue le 18 décembre 1991, le docteur Frappier a reçu d'innombrables récompenses, dont six doctorats *honoris causa*. En 1992, sa fille Lise, elle aussi médecin, fonda le musée Armand-Frappier pour faire la promotion des sciences auprès des jeunes et informer le grand public sur la microbiologie et les biotechnologies. En 1993, le gouvernement du Québec décida à son tour d'honorer la mémoire du chercheur en créant le prix Armand-Frappier. Ce prix est remis chaque année à une personnalité scientifique qui a suscité l'intérêt de la population pour la science et la technologie.

- Y a-t-il des maladies que tu voudrais pouvoir enrayer ? Lesquelles ?

- Aimerais-tu te renseigner sur le musée Armand-Frappier ? Vas-y.

science et technologie

Louis Pasteur (1822-1895)

Au milieu du 19e siècle, le biologiste français Louis Pasteur réussissait à prouver que des microbes, ces êtres vivants invisibles à l'œil nu, étaient les agents responsables de certaines maladies graves. Pasteur fabriqua le premier vaccin en injectant à des chiens une culture de bactéries responsables de la rage, une culture vieillie de quelques semaines qui avait perdu de sa virulence. Par la suite, il constata que les chiens inoculés de cette façon étaient immunisés contre la rage. Que s'était-il passé ? C'est que les chiens avaient fabriqué une substance de défense, appelée « anticorps », pour lutter contre les microbes affaiblis qu'on avait introduits dans leur organisme. Grâce à cet anticorps, ils pouvaient désormais lutter contre les microbes plus virulents de la rage. C'était le principe du vaccin. Pasteur fut le premier à vacciner un être humain. En 1885, il vaccina le jeune Joseph Meister qui avait été mordu par un chien enragé, le sauvant d'une mort certaine.

Le frère Marie-Victorin

Né le 3 avril 1885 à Kingsey Falls, le frère Marie-Victorin, né Conrad Kirouac, a consacré ses brillantes études autant au monde des lettres qu'à celui des mathématiques. Malheureusement, en 1904, alors qu'il est professeur à Longueuil, les médecins lui conseillent de cesser d'enseigner et de se retirer à la campagne pour soigner sa tuberculose. Au repos forcé, il profite de ses journées pour errer dans la campagne. C'est au cours de cette période qu'il développe une profonde passion pour la botanique, une passion qui allait changer sa vie.

En 1919, le frère Marie-Victorin publie *Récits laurentiens* et, en 1920, *Croquis laurentiens*. Plusieurs fois réédités, ces deux ouvrages lui valent une grande renommée dans le monde scientifique. L'Université de Montréal lui propose alors de mettre sur pied un laboratoire destiné à l'étude de la botanique, qui deviendra l'Institut botanique. Quatre ans plus tard, devenu professeur de botanique dans ce même établissement, le frère Marie-Victorin a la tâche de créer puis de diriger le Jardin botanique de Montréal, un projet qui ne se concrétisera qu'en 1931. Entre-temps, le frère poursuit son étude de la flore du Québec et publie régulièrement les résultats de ses recherches.

Lis ce court portrait d'un véritable passionné de la botanique.

Ces publications ajoutent toujours à sa réputation internationale de grand scientifique. Malheureusement, il meurt le 15 juillet 1944 des suites d'un accident de voiture alors qu'il revient d'un voyage d'herborisation.

Aujourd'hui, l'influence du frère Marie-Victorin sur l'étude de la botanique est énorme. D'une part, *La flore laurentienne*, son ouvrage le plus connu, sert toujours de référence essentielle à tous ceux qui s'intéressent aux plantes de notre province. D'autre part, le Jardin botanique charme et instruit annuellement des milliers de visiteurs.

- Que connais-tu du Jardin botanique ?

- T'intéresses-tu à la botanique ? Explique.

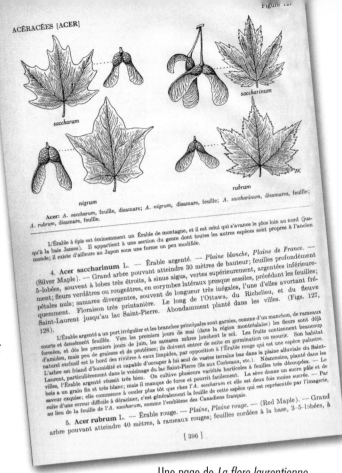

Une page de *La flore laurentienne*, un ouvrage abondamment illustré.

Le Jardin botanique de Montréal.

Roberta Bondar, scientifique dans l'espace

En lisant ce texte, informe-toi sur le cheminement d'une astronaute de chez nous.

La première femme canadienne à être allée dans l'espace, Roberta Lynn Bondar, est née en 1945 en Ontario. Dès l'âge de 8 ans, elle s'intéresse à l'espace et à la science-fiction. Adolescente, elle tapisse les murs de sa chambre de photos du centre spatial de la NASA. Roberta rêve de devenir astronaute. Elle développe également très tôt un intérêt pour la science.

Dans le laboratoire que son père lui a aménagé au sous-sol de leur maison, Roberta fait des expériences avec des éprouvettes et un microscope. À l'école secondaire, elle reçoit un prix d'excellence en sciences, ce qui lui permet, les étés suivants, de faire de la recherche pour le ministère des Pêches et des Forêts. À l'université, Roberta étudie d'abord la zoologie et l'agriculture. Elle apprend aussi à piloter un petit avion. À la fin de ses études, à 31 ans, elle est docteure en médecine et en neurobiologie. Elle est devenue spécialiste du système nerveux.

À partir de 1977, elle travaille dans plusieurs hôpitaux et à l'Université McMaster. Elle écrit aussi des articles scientifiques. Cependant, son rêve d'aller dans l'espace ne la quitte pas. En 1983, Roberta a 37 ans. Elle entend à la radio que le gouvernement recrute des astronautes spécialistes de charge utile. Leur tâche sera d'effectuer des expériences dans l'espace.

Comme l'une des missions des astronautes est d'élargir les connaissances scientifiques, les candidats recherchés doivent avoir fait des études universitaires en sciences, en médecine, en génie ou en mathématiques. Roberta répond à ces exigences. Douze jours après avoir entendu l'annonce, elle soumet son imposant dossier, pleine d'espoir. Elle sera choisie parmi 4300 autres candidats canadiens.

Dès 1984, Roberta participe à des séances d'entraînement au Canada et aux États-Unis. Par exemple, pour savoir si les astronautes auront le mal de l'espace, des machines les font tourner sur eux-mêmes. Les futurs astronautes s'exercent aussi à réagir rapidement en cas d'accident. Ainsi, ils apprennent à faire de la plongée sous-marine, au cas où la navette s'écraserait dans l'océan.

En plus de son entraînement, Roberta étudie les effets des voyages dans l'espace sur les systèmes sanguin et cardiovasculaire, sur l'équilibre et le sens de la direction, sur les réflexes, etc. Il se passera encore six ans avant que Roberta apprenne qu'elle va participer à la mission spatiale IML 1. Le départ, prévu pour le 6 décembre 1990, sera reporté au 22 janvier 1992.

Ce jour-là, à 46 ans, Roberta devient la première femme canadienne à aller dans l'espace. Elle réalise enfin son rêve. Elle part en orbite pendant huit jours avec six autres astronautes. Les astronautes travaillent jusqu'à 24 heures par jour dans le *Space Lab*, un laboratoire qui se trouve dans la soute de la navette.

Roberta a plus de 43 expériences à effectuer pour le compte de 13 pays différents. Elle étudie par exemple la croissance dans l'espace de plantes comestibles telles que l'avoine et le blé; mais elle fait surtout des expériences sur le comportement du corps humain en état d'apesanteur, c'est-à-dire lorsque l'effet de l'attraction terrestre ne se fait plus sentir.

Le corps subit d'importants changements au cours des vols spatiaux. Par exemple, la plupart des astronautes éprouvent des maux de dos et ils grandissent dans l'espace. Roberta, elle, a grandi de 5 cm durant la mission. Une fois sur terre, elle a vite retrouvé sa taille normale. Mais la recherche effectuée dans l'espace ne sert pas uniquement à comprendre la réaction du corps pendant les vols spatiaux. Elle permet aussi de mieux comprendre et de traiter les malaises physiques sur terre.

- Quelles sont tes impressions sur le cheminement particulier de Roberta Bondar ?

- Aimerais-tu devenir astronaute ? Explique.

De la Terre à la Lune

Adaptation d'un roman de Jules VERNE

Jules Verne est le premier auteur français à avoir écrit des romans d'anticipation scientifique. Voici un extrait d'un de ses romans les plus célèbres, De la Terre à la Lune, *qu'il a écrit en 1865.*

Le projectile mesurait trois mètres de large extérieurement sur quatre mètres de haut. Afin de ne pas dépasser le poids assigné, on avait un peu diminué l'épaisseur de ses parois et renforcé sa partie inférieure, qui devait supporter toute la violence des gaz développés par la déflagration du pyroxyle.

On pénétrait dans cette tour de métal par une étroite ouverture ménagée sur les parois du cône. Elle se fermait hermétiquement au moyen d'une plaque d'aluminium, retenue à l'intérieur par de puissantes vis de pression. Les voyageurs pourraient donc sortir à volonté de leur prison mobile, dès qu'ils auraient atteint l'astre des nuits.

Mais il ne suffisait pas d'aller, il fallait voir en route. Rien ne fut plus facile. En effet, sous le capitonnage se trouvaient quatre hublots de verre d'une forte épaisseur, deux percés dans la paroi circulaire du projectile; un troisième à sa partie inférieure et un quatrième dans son chapeau conique. Les voyageurs seraient donc à même d'observer, pendant leur parcours, la Terre qu'ils abandonnaient, la Lune dont ils s'approchaient et les espaces constellés du ciel.

Tous ces mécanismes, admirablement établis, fonctionnaient avec la plus grande facilité, et les ingénieurs ne s'étaient pas montrés moins intelligents dans les aménagements du wagon-projectile.

Derniers préparatifs

Les objets nécessaires au voyage furent disposés avec ordre dans le wagon-projectile. Plusieurs thermomètres, baromètres et lunettes furent déposés dans le coffre aux instruments. Les voyageurs emportaient aussi trois carabines de chasse à balles explosives.

«On ne sait pas à qui on aura affaire, disait Michel Ardan. Hommes ou bêtes peuvent trouver mauvais que nous allions leur rendre visite! Il faut donc prendre ses précautions.»

Du reste, les instruments de défense personnelle étaient accompagnés de pics, de pioches, de scies à main et autres outils indispensables, sans parler des vêtements convenables à toutes les températures, depuis le froid des régions polaires jusqu'aux chaleurs de la zone torride.

L'énorme obus fut apporté au sommet de Stone's-Hill. Là, des grues puissantes le saisirent et le tinrent suspendu au-dessus du puits de métal. Ce fut un moment palpitant.

Feu!

Le premier jour de décembre était arrivé. Jusqu'au soir, une agitation sourde, sans clameur, comme celle qui précède les grandes catastrophes, courut parmi la foule anxieuse. Un indescriptible malaise régnait dans les esprits, une torpeur pénible.

Cependant, vers sept heures, ce lourd silence se dissipa brusquement. La Lune se levait sur l'horizon. Plusieurs millions de hourras saluèrent son apparition. En ce moment parurent les trois intrépides voyageurs.

Dix heures sonnèrent. Le moment était venu de prendre place dans le projectile. La manœuvre nécessaire pour y descendre, la plaque de fermeture à visser, le dégagement des grues et des échafaudages penchés sur la gueule de la *Columbiad* exigèrent un certain temps.

Murchison suivait de l'œil l'aiguille de son chronomètre. Il s'en fallait à peine de quarante secondes que l'instant du départ ne sonnât, et chacune d'elles durait un siècle.

«Trente-cinq! — trente-six! — trente-sept! — trente-huit! — trente-neuf! — quarante! Feu!!!»

Aussitôt Murchison, pressant du doigt l'interrupteur de l'appareil, rétablit le courant et lança l'étincelle électrique au fond de la *Columbiad*.

Une détonation épouvantable, inouïe, surhumaine, dont rien ne saurait donner une idée, ni les éclats de la foudre, ni le fracas des éruptions, se produisit instantanément. Une immense gerbe de feu jaillit des entrailles du sol comme d'un cratère. La terre se souleva, et c'est à peine si quelques personnes purent un instant entrevoir le projectile fendant victorieusement l'air au milieu des vapeurs flamboyantes.

Temps couvert

Au moment où la gerbe incandescente s'éleva vers le ciel à une prodigieuse hauteur, cet épanouissement de flammes éclaira la Floride entière, et, pendant un instant incalculable, le jour se substitua à la nuit sur une étendue considérable de pays. Cet immense panache de feu fut aperçu de cent milles en mer du Golfe comme de l'Atlantique, et plus d'un capitaine de navire nota dans son livre de bord l'apparition de ce météore gigantesque.

Le temps, si beau jusqu'alors, changea subitement; le ciel assombri se couvrit de nuages. Pouvait-il en être autrement, après le terrible déplacement des couches atmosphériques, et cette dispersion de l'énorme quantité de vapeurs qui provenaient de la déflagration de quatre cent mille livres de pyroxyle? Tout l'ordre naturel avait été troublé. Le temps resta couvert jusqu'au 11 décembre.

Un nouvel astre

La nuit du 12 décembre, la palpitante nouvelle si impatiemment attendue éclata comme un coup de foudre. Elle courut sur tous les fils télégraphiques du globe. Le projectile avait été aperçu, grâce au gigantesque télescope de Long's-Peak.

Voici la note rédigée par le directeur de l'Observatoire de Cambridge.

Le projectile lancé par la Columbiad de Stone's-Hill a été aperçu le 12 décembre, à huit heures quarante-sept minutes du soir, la Lune étant entrée dans son dernier quartier. Ce projectile n'est point arrivé à son but. Il a passé à côté, mais assez près, cependant, pour être retenu par l'attraction lunaire.

Là, son mouvement rectiligne s'est changé en un mouvement circulaire d'une rapidité vertigineuse, et il a été entraîné suivant une orbite elliptique autour de la Lune, dont il est devenu le véritable satellite. Maintenant, deux hypothèses peuvent se produire et amener une modification dans l'état des choses :

Ou l'attraction de la Lune finira par l'emporter, et les voyageurs atteindront le but de leur voyage; ou, maintenu dans un ordre immuable, le projectile gravitera autour du disque lunaire jusqu'à la fin des siècles.

Quelle situation grosse de mystères l'avenir réservait aux investigations de la science! Les voyageurs, emprisonnés dans un nouveau satellite, s'ils n'avaient pas atteint leur but, faisaient du moins partie du monde lunaire. Ils gravitaient autour de l'astre des nuits, et, pour la première fois, l'œil pouvait en pénétrer tous les mystères. Les noms de Nicholl, de Barbicane, de Michel Ardan devront donc être à jamais célèbres, car ces hardis explorateurs, avides d'agrandir le cercle des connaissances humaines, se sont audacieusement lancés à travers l'espace, et ont joué leur vie dans la plus étrange tentative des temps modernes.

Il y eut dans l'Univers entier un sentiment de surprise et d'effroi. Était-il possible de venir en aide à ces hardis habitants de la Terre? Non, sans doute, car ils s'étaient mis en dehors de l'humanité en franchissant les limites imposées par Dieu aux créatures terrestres. Ils pouvaient se procurer de l'air pendant deux mois. Ils avaient des vivres pour un an. Mais après?

Un seul homme ne voulait pas admettre que la situation fût désespérée. C'était leur ami dévoué, le brave J.-T. Maston. D'ailleurs, il ne les perdait pas des yeux. Son domicile fut désormais le poste de Long's-Peak; son horizon, le miroir de l'immense télescope.

«Nous correspondrons avec eux, disait-il à qui voulait l'entendre, dès que les circonstances le permettront. Nous aurons de leurs nouvelles et ils auront des nôtres! D'ailleurs, je les connais, ce sont des hommes ingénieux. À eux trois ils emportent dans l'espace toutes les ressources de l'art, de la science et de l'industrie. Vous verrez qu'ils se tireront d'affaire!»

François Auger : le génie tissulaire

Lis ce bref portrait d'un spécialiste de la reproduction des tissus humains.

Pour François Auger, la médecine n'avait rien d'un rêve. Il n'enviait pas du tout le sort de son père, chirurgien à l'hôpital Saint-Sacrement, qui travaillait comme un forcené. Un jour, pourtant, il va rejoindre son père à l'hôpital et fait avec lui la tournée des étages. En voyant cet homme si heureux au milieu de ses patients, il se met à reconsidérer son choix de carrière. Il décide alors de retourner au cégep pour obtenir un nouveau diplôme d'études collégiales, puis il entre à la faculté de médecine de l'Université Laval.

Devenu médecin, il se spécialise ensuite en microbiologie à l'Université de Montréal. Depuis, il a acquis une renommée mondiale et il est sur le point de révolutionner la médecine du 21ᵉ siècle.

Spécialiste en génie tissulaire, le docteur Auger veut reproduire en laboratoire des tissus et des organes qu'il pourrait ensuite greffer sur des malades. En 2003, il a d'ailleurs réussi à greffer à un grand brûlé une peau produite en laboratoire, une première mondiale.

Pour le docteur Auger, cette réalisation était l'aboutissement de nombreuses années de recherche marquées par une autre réussite importante, soit la production en laboratoire de vaisseaux sanguins entièrement biologiques, fabriqués à partir de cellules humaines, sans aucun support synthétique. Cette opération, considérée jusque-là comme impossible à réaliser, attira immédiatement l'attention de la communauté scientifique internationale. Et le prestigieux magazine *Time* reconnut l'importance fondamentale des travaux du docteur Auger pour l'avenir de la médecine.

Le laboratoire d'organogénèse expérimentale fondé en 1985 par le docteur Auger.

Les progrès réalisés par le docteur Auger et son équipe sont proprement renversants. Et le chercheur de Québec s'est fixé un objectif qu'il compte bien atteindre d'ici 2025 : fabriquer des organes de rechange pour le corps humain plus efficaces et plus durables que les organes initiaux. Il souhaite ainsi produire en laboratoire des cartilages ou des foies plus résistants, ou encore des artères coronaires qui ne se bouchent pas. L'avenue ouverte par le docteur Auger aura sans doute des résultats spectaculaires sur le plan de la régénération des tissus humains.

- Que penses-tu de cette avancée de la science ?
- Trouves-tu qu'il s'agit là d'une bonne idée ? Explique.

Christiane Ayotte : la lutte contre le dopage

Le dopage est un grave problème. Lis ce texte pour connaître une femme qui ne le prend pas à la légère.

Enfant surdouée, Christiane Ayotte a été admise au collège à 15 ans et elle est entrée à l'université à 17 ans. Son intérêt pour les sciences lui est venu à un très jeune âge, car son père, qui était biochimiste, avait fait de l'expérimentation scientifique un véritable passe-temps familial.

Le parcours universitaire de Christiane se termine en 1983 quand elle obtient son doctorat en chimie organique à l'Université de Montréal. Tout de suite après, elle entre à l'INRS, l'Institut national de la recherche scientifique, pour y faire un stage de deux ans. En 1984, le hasard l'amène à s'intéresser aux substances dopantes utilisées par les athlètes.

Le coureur Ben Johnson.

Elle travaille toujours à l'INRS quand, en 1988, le laboratoire de l'institut révèle le plus grand scandale de l'histoire de l'athlétisme canadien : le coureur Ben Johnson est reconnu coupable de dopage après sa victoire à la course de 100 mètres aux Jeux olympiques de Séoul. Avec ce coup d'éclat, l'INRS se forge une réputation mondiale en matière de détection des substances dopantes. Prenant conscience de l'immensité du problème du dopage et des graves conséquences que l'usage de ces produits entraîne chez les athlètes de tous les niveaux, la docteure Ayotte décide de consacrer toutes ses énergies à détecter les substances illicites pour purifier le milieu sportif.

En 2003, Christiane Ayotte est nommée directrice du Laboratoire de contrôle du dopage de l'INRS et elle est à la tête de la commission antidopage de la Fédération internationale d'athlétisme amateur. Elle s'est donné pour mission de concilier deux aspects essentiels : faire de la recherche pour mettre au point des tests de détection de plus en plus efficaces, mais aussi éduquer les athlètes pour les sensibiliser aux dangers des substances dopantes.

● Connais-tu des effets néfastes du dopage ? Quels sont-ils ?

● Quelle est ton opinion sur le dopage des athlètes ?

Réussir à rater son coup !

François PARENTEAU

Mélanie-Dieudonné Patenaude habitait une gentille banlieue qui, sans elle, aurait été bien tranquille. Hélas, pour le plus grand malheur de ses voisins, elle exerçait depuis sa retraite le métier d'inventrice. Du moins se prétendait-elle inventrice. Que toutes ses créations aient été de cuisants échecs n'avait en rien entamé son enthousiasme. La cour de sa maison était encombrée d'un incroyable amoncellement d'objets hétéroclites, aussi bizarres qu'inutiles, et bien sûr tous hors d'usage, objets auxquels madame Patenaude s'employait avec ingéniosité à donner une nouvelle vie. Malheureusement, elle n'avait jusqu'à maintenant produit que du bruit et des catastrophes.

On l'entendait travailler jusqu'aux petites heures du matin dans son garage, un lieu qui l'inspirait et qu'elle ne quittait qu'à regret. Elle avait d'ailleurs toute une théorie sur les garages, dans lesquels avaient été conçus selon elle une foule d'objets techniques révolutionnaires : la motoneige, le micro-ordinateur, la guitare électrique, le porte-parapluies, le tube de dentifrice, l'agrafeuse, le moteur à pistons, la clé à molette, la fermeture éclair, la bombe aérosol et bien d'autres merveilles encore.

Sa première invention avait été le «rail à poubelle», ce qui n'était pas en soi une si mauvaise idée. Elle avait donc installé un rail, aussi joli que solide, qui allait de la porte d'entrée de sa maison jusqu'au trottoir, un rail sur lequel se mouvait un élégant chariot porte-poubelle. Son inventrice croyait ainsi pouvoir mettre ses ordures à la rue sans avoir à mettre le nez dehors.

Malheureusement, comme le rail accusait une assez forte pente, le chariot porte-poubelle, mû par une force d'accélération constante, se transformait en un formidable propulseur à ordures, ce qui ne faisait pas la joie du voisinage. Notre Léonard de Vinci locale pensa à munir le chariot d'un système complexe de câbles ralentisseurs pour en réduire la vitesse, mais elle se désintéressa vite de son invention pour passer à autre chose. Les idées fourmillaient dans sa tête et, à défaut d'être l'inventrice la plus riche, la plus visionnaire ou la plus géniale, madame Patenaude se donna pour objectif d'être la plus prolifique.

Elle mit au point un chauffe-bottes pour garder les pieds bien au sec pendant la saison froide, mais les premiers essais ne furent pas concluants. Non seulement le mécanisme faisait-il fondre les semelles, mais il entraînait aussi de grands risques d'électrocution par temps pluvieux. Quant à sa machine à promener les chiens, elle lui attira les foudres de la Société protectrice des animaux, bien injustement à la vérité car, en fait, c'était toujours le chien qui finissait par promener la machine.

Elle crut avoir trouvé un meilleur filon avec le farce-dinde automatique. Mais cette autre invention sema encore l'émoi dans le quartier, car on vit s'envoler dans toutes les directions de belles grosses dindes déplumées.

Après s'être donné un affreux mal de mer en expérimentant sa chaise-balançoire, elle mit au point un système complexe de compensation de mouvement qui en fit la balançoire la plus immobile qui soit, ce qui était une réussite, si l'on veut, mais pas dans le sens visé.

Son principal échec commercial, elle le connut avec son moteur carburant au purin de porc. Le moteur fonctionnait très bien. Le problème, c'est qu'il fallait, pour transformer le purin en carburant, utiliser deux fois plus d'essence que d'ordinaire. Rendement de 100 % inférieur, donc, avec en prime une persistante odeur de purin dans les narines. Pas facile à vendre !

Au bureau des brevets, où elle se rendait tous les lundis, Mélanie-Dieudonné Patenaude était une figure bien connue, dont on se moquait volontiers, il faut le dire. Un jour, pourtant, elle y rencontra une spécialiste en marketing qui prétendit croire en elle, et cela lui porta chance. La jeune femme lui expliqua que si ses inventions n'avaient pas connu le succès commercial qu'elles méritaient, c'était tout simplement parce qu'elles n'avaient pas été suffisamment publicisées. Pour la modique somme de 200 000 dollars, elle lui proposa de réaliser des infopublicités qui présenteraient ses plus ingénieuses créations. Comme le corbeau de la fable, Mélanie-Dieudonné ne put résister à la flatterie. Enfin, quelqu'un reconnaissait sa valeur ! Elle hypothéqua sa maison et signa un contrat de publicité avec la rusée femme d'affaires.

Les émissions publicitaires furent réalisées selon les règles de l'art. Dans un premier temps, on illustrait concrètement le besoin, plus imaginaire que réel, auquel l'invention répondait. On voyait, par exemple, des acteurs ou actrices faire en se lamentant des gestes quotidiens comme tourner les pages d'un livre, refermer la porte d'un réfrigérateur, coller un timbre sur une enveloppe, enfiler une paire de chaussettes, etc. Suivaient aussitôt des images de bonheur extatique où des gens de divers milieux disaient à quel point leur vie avait été transformée par les inventions de Patenaude : le tourne-pages, le frigo à porte autofermante, le timbre-enveloppe, la chaussette grimpante, le ferme-boîte, le tourne-clés, le chauffe-glaçons, l'attrape-rhume, le brasse-ordures, le dévisse-ampoule, la calculette aléatoire, etc. Le tout se terminait par une courte interview de la désormais célèbre inventrice.

Si les inventions eurent dans l'ensemble assez peu de succès, les émissions publicitaires, en revanche, obtinrent des cotes d'écoute incroyables dans le monde entier et rapportèrent des millions. La ville transforma le garage de madame Patenaude en musée de l'inutile.

Vedette de l'émission *Grandes figures du siècle*, Mélanie-Dieudonné Patenaude avouait maintenant humblement qu'elle ne réaliserait sans doute jamais une grande invention. « Le secret de mon succès, disait-elle, c'est d'avoir accumulé les échecs. »

Elle avait toujours raté son coup, c'est vrai, mais elle avait su le faire avec style. Et cela, ça ne s'invente pas !

Quelques grandes inventions

Lis ce texte pour connaître quelques-unes des grandes inventions qui ont transformé le monde.

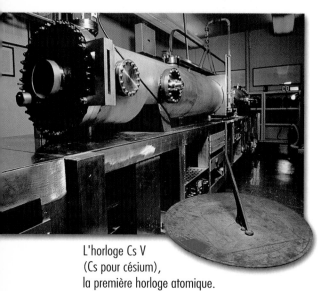

L'horloge Cs V
(Cs pour césium),
la première horloge atomique.

La mesure du temps

Depuis l'aube de l'humanité, on a mesuré le temps grâce à l'alternance du jour et de la nuit, des phases de la Lune et des saisons. Les humains ont trouvé dans ces phénomènes des repères pour organiser leurs activités quotidiennes, marquer leurs grandes fêtes et déterminer le temps des semences et le temps des récoltes. Par la suite, l'invention du cadran solaire a permis de mieux préciser la mesure du temps. Avec l'invention de la clepsydre, c'est-à-dire de l'horloge à eau, puis de l'horloge à ressort ou à pendule, on a pu mesurer le temps en s'affranchissant des phénomènes astronomiques, jugés trop irréguliers et trop imprécis. Au fil des siècles, les instruments de mesure du temps sont devenus de plus en plus perfectionnés pour répondre aux exigences de précision accrues des sociétés industrielles. Cette évolution a mené aux horloges atomiques d'aujourd'hui. Elles ont une telle précision qu'elles ne varient que d'une fraction de seconde en 1000 ans.

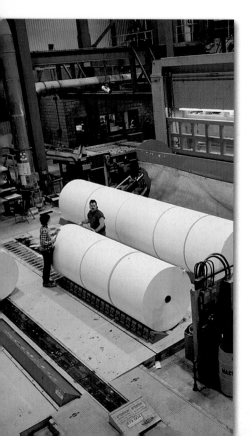

Le papier

Le papier fut inventé en Chine au 2e siècle. On le fabriquait à partir de différentes plantes comme le chanvre, le lin ou la paille de riz, et on s'en servait comme monnaie ou comme support pour l'écriture ou le dessin. Cette précieuse invention se transmit ensuite de peuple en peuple pour atteindre l'Europe au 12e siècle, où on le fabriqua encore longtemps manuellement, feuille à feuille. Il y a un peu plus de 100 ans, on comprit que c'est la cellulose, une longue molécule souple qu'on trouve dans les plantes, qui donne au papier ses plus intéressantes propriétés. Aujourd'hui, on se sert du bois, extrêmement riche en cellulose, pour fabriquer presque tout le papier produit dans le monde. Le papier est l'une des plus grandes inventions de l'humanité, car il a permis, par l'écriture, de fixer la pensée et, grâce à l'imprimerie, d'en assurer une large diffusion.

Le sextant

Pendant des siècles, les navigateurs se sont orientés sur les mers en calculant la mesure de l'angle formé par le navire, l'horizon et une étoile. Mais quand la mer était agitée, il était presque impossible de déterminer la ligne d'horizon, de sorte que cette méthode de mesure perdait alors toute fiabilité. Au 17e siècle, on a inventé le sextant, un appareil gradué qui, grâce à un jeu de miroirs, permettait de faire coïncider l'astre observé et l'horizon pour donner instantanément la mesure de l'angle. Les marins pouvaient ainsi déterminer avec précision la position de leur navire sur l'océan. Aujourd'hui, les navigateurs se repèrent avec beaucoup plus d'exactitude au moyen d'appareils électroniques complexes ou de satellites. Mais ils ont encore recours au sextant quand les instruments perfectionnés tombent en panne.

La machine à vapeur

On sait depuis bien longtemps que l'eau occupe plus de place sous forme de vapeur qu'à l'état liquide. Il y a environ 250 ans, des savants ont trouvé des moyens d'utiliser la vapeur comme force motrice. Ils ont alors créé de puissantes machines à vapeur capables d'actionner des locomotives, des pompes et divers types d'outils. Les nouvelles machines remplacèrent vite les sources d'énergie traditionnelles comme la force animale, l'énergie hydraulique ou l'énergie éolienne. On utilisa bientôt la machine à vapeur dans les mines, les transports et les usines. Cette invention est à l'origine de ce qu'on appelle la «révolution industrielle», une époque qui commença en Europe au 19e siècle et qui transforma complètement nos sociétés.

Au Canada, les trains ont une importance déterminante. À partir de 1850, des chemins de fer relient les grandes villes du pays et suscitent le développement de la Côte Ouest.

Grâce aux moteurs à vapeur, la navigation n'est plus soumise aux caprices des vents.

L'ampoule électrique

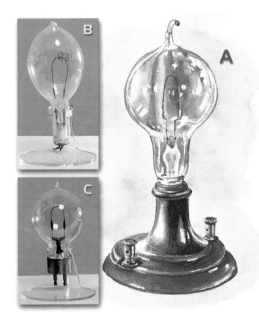

Ampoule incandescente à filament de carbone conçue par Edison en 1878 (a), ampoule fabriquée par Swann en 1881 (b) et ampoule fabriquée par Bernstein vers 1884 (c).

L'électricité est un phénomène naturel qui se manifeste notamment par la foudre, observée depuis la nuit des temps. Ce n'est pourtant que vers 1800 qu'on sut créer artificiellement du courant électrique grâce à l'invention de la pile, et on ne commença à comprendre le principe de l'électricité qu'une cinquantaine d'années plus tard. Le grand inventeur Thomas Edison réussit alors à utiliser du courant électrique pour chauffer un filament de métal emprisonné dans un globe de verre vide d'air. L'ampoule électrique était née et, avec elle, la lumière artificielle. L'ampoule électrique a eu une grande importance sociale, permettant notamment aux usines de fonctionner aussi bien la nuit que le jour, grâce à un éclairage puissant.

● Place sur une ligne du temps les inventions décrites dans le texte, puis enrichis ta ligne du temps en y inscrivant d'autres inventions.

science et technologie

Isaac Newton (1642-1727)

Mathématicien, physicien et astronome, le savant anglais Isaac Newton s'intéressa au problème de la gravité terrestre et à l'organisation des astres dans l'espace. Ses réflexions l'amenèrent à formuler la loi de la gravitation universelle, une loi qui, selon la légende, lui serait venue à l'esprit en observant une pomme tomber sur le sol. Grâce à de multiples observations et à des calculs mathématiques très précis, Newton établit que tous les corps s'attirent avec une force qui est inversement proportionnelle à la distance qui les sépare. En d'autres mots, plus des objets sont distants l'un de l'autre, moins ils s'attirent, et vice versa. Ce principe permet d'expliquer une foule de phénomènes, la rotation de la Lune autour de la Terre et les marées notamment. Newton formula également la loi de « l'action et la réaction » qui permet de définir les mouvements des objets aussi bien sur la Terre que dans l'espace. Ses contributions à la science révolutionnèrent notre compréhension de l'Univers.

Au temple de la renommée

Comment le cerveau fonctionne-t-il ? Voilà la question à laquelle la docteure Brenda Milner s'est efforcée de répondre depuis plusieurs dizaines d'années. Cette chercheuse, qui a fondé l'Institut neurologique de Montréal, a en effet tenté de percer certains mystères du fonctionnement de nos milliards de neurones.

Sa découverte la plus surprenante, elle l'a faite en 1955 lorsqu'elle est entrée en contact avec un technicien américain de 27 ans. Ce dernier avait été opéré au cerveau pour stopper les crises d'épilepsie dont il était victime depuis l'enfance. L'homme était guéri, mais l'intervention avait provoqué un autre problème, encore plus grave peut-être. Il souffrait maintenant d'une amnésie antérograde, c'est-à-dire qu'il se souvenait de tout ce qui lui était arrivé jusqu'au jour de l'opération, mais qu'il ne pouvait se rappeler aucun événement survenu par la suite.

La docteure Brenda Milner, fascinée par ce cas, a étudié son patient pendant près de 30 ans pour comprendre les mécanismes de la mémoire. À chacune de leurs rencontres, elle devait toutefois se présenter à son malade, car il ne la reconnaissait jamais.

Par ses multiples travaux, la chercheuse a réussi à mieux définir le rôle des diverses parties du cerveau. Les travaux de cette femme de science passionnée ont été salués par la communauté scientifique internationale. En 1997, elle a été admise au Temple de la renommée médicale canadienne.

Lis ces informations sur la vie trépidante de Lucille Teasdale, médecin en Afrique.

Lucille Teasdale, médecin en mission

Lucille Teasdale est née en 1929 dans un modeste quartier de l'est de Montréal. Son père était épicier-boucher et elle avait six frères et sœurs. Déjà, à l'âge de 12 ans, Lucille entrevoyait son avenir. Elle serait médecin et travaillerait en Inde. Elle avait vu juste, à un détail près : elle s'est retrouvée en Afrique plutôt qu'en Inde. Pour payer ses études à l'Université de Montréal, Lucille Teasdale s'est enrôlée dans l'armée de l'air. En ce temps-là, très peu de femmes étudiaient la médecine et Lucille Teasdale a souvent été victime de préjugés. En Amérique, certaines directions d'hôpitaux lui ont même avoué sans détour qu'ils ne voulaient pas d'une femme chirurgienne, même compétente et dévouée.

Lucille Teasdale et Piero Corti.

En 1960, Lucille Teasdale part pour la France où elle va pratiquer la chirurgie pédiatrique. Le jeune médecin italien Piero Corti, qui la connaît depuis cinq ans, va la rejoindre et lui demande de l'accompagner en Ouganda pour réaliser un ambitieux projet : mettre sur pied un hôpital de brousse dans le nord de l'Ouganda. Les deux médecins, qui croient alors partir pour quelques mois, se marieront en Afrique sept mois après leur arrivée, ils y auront leur fille unique et ils y passeront toute leur vie.

La situation sociale, politique et économique est extrêmement difficile en Ouganda, où une guerre civile fait rage. En 1979, les deux médecins sont confrontés à de terribles affrontements. Gulu, la ville de 40 000 habitants où leur hôpital est établi, est presque entièrement anéanti. L'hôpital n'est pas épargné. Le *Saint Mary's Lacor Hospital* est en effet pillé et saccagé.

Malgré ces épreuves, Lucille Teasdale et son mari tiennent bon. Ils accueillent les blessés et se débrouillent avec les moyens du bord, en recourant aux familles des malades pour obtenir de l'aide. Même si elle est avant tout chirurgienne pour enfants, la docteure Teasdale s'occupe de tout : des accouchements par césarienne jusqu'aux blessures de guerre causées par des balles ou des flèches.

Pendant plus de 30 ans, cette Québécoise a travaillé sans relâche, jour après jour, jusqu'à 14 heures d'affilée, parfois sans congé des mois durant. Elle a fait plus de 13 000 interventions chirurgicales. Lucille et Piero ont aussi eu le grand mérite d'avoir formé des centaines d'infirmières, de techniciens et d'internes ougandais, et leur hôpital est devenu le deuxième plus important en Ouganda.

L'œuvre humanitaire remarquable de la docteure Lucille Teasdale en Ouganda a été reconnue dans le monde entier. Elle et son mari ont reçu les plus hautes distinctions de l'Organisation mondiale de la santé, de la République italienne et de l'Association médicale canadienne. Lucille Teasdale a également été décorée de l'Ordre du Canada.

Lucille Teasdale est devenue séropositive en se coupant pendant une opération, probablement en 1979. Elle était désormais trop faible pour opérer des malades, mais pas assez pour cesser toute pratique médicale.

Vue aérienne du *Saint Mary's Lacor Hospital.*

Cette femme a toujours eu la conviction que son travail était essentiel. C'est pourquoi elle a considéré sa terrible maladie avec sérénité, estimant que cela faisait partie des risques du métier. Elle est morte des suites du sida le 1er août 1996.

Réflexions d'Hubert Reeves

Longtemps l'être humain s'est considéré comme le seul être intelligent de la nature. Les animaux, êtres stupides aux comportements brutaux, étaient mûs par des instincts grossiers. Il était naturel dans ce contexte que, pour la tradition judéo-chrétienne, l'âme immortelle soit réservée aux humains.

Ces dernières décennies, par un de ces revirements subtils et profonds dont on ne prend conscience qu'après coup, notre regard a radicalement changé. L'étude scientifique des prouesses animales nous a révélé leur capacité à utiliser les forces de la nature avec un degré de sophistication extraordinaire. Nous avons découvert jusqu'à quel point notre niveau technologique est loin en arrière du leur.

La boussole a été inventée par les Chinois il y a environ mille ans. Les pigeons voyageurs, les tortues, les bactéries elles-mêmes l'utilisent depuis des centaines de millions d'années. Le principe du radar est né pendant la dernière guerre mondiale. Il a été mis au point pour détecter la présence d'avions ennemis dans le ciel. Les chauves-souris ont développé un « sonar » tout à fait analogue au radar, il y a plusieurs millions d'années. Les insectes qu'elles visent savent brouiller les ondes émises par leurs prédatrices, une technique découverte et utilisée pendant la guerre du Golfe en 1992.

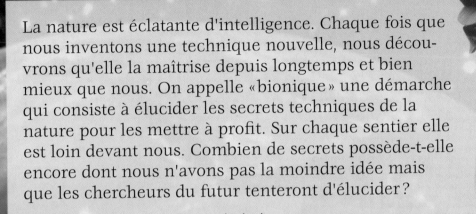

La nature est éclatante d'intelligence. Chaque fois que nous inventons une technique nouvelle, nous découvrons qu'elle la maîtrise depuis longtemps et bien mieux que nous. On appelle «bionique» une démarche qui consiste à élucider les secrets techniques de la nature pour les mettre à profit. Sur chaque sentier elle est loin devant nous. Combien de secrets possède-t-elle encore dont nous n'avons pas la moindre idée mais que les chercheurs du futur tenteront d'élucider?

* * *

Il y a soixante-cinq millions d'années, un astéroïde géant a frappé la Terre. Un tiers des espèces vivantes a été exterminé dont l'ensemble des grands sauriens. Les mammifères ont survécu à la catastrophe et sont entrés dans une phase de développement rapide. Chiens, chats, éléphants, singes, etc., apparaissent sur la Terre, et les humains dans la foulée. Plusieurs paléontologues y voient une relation de cause à effet. Selon eux, la disparition des prédateurs efficaces a laissé le champ libre à l'évolution rapide et multiforme.

L'histoire du cosmos est celle de la matière qui s'organise. Du chaos initial d'il y a quinze milliards d'années est née la merveilleuse complexité du monde contemporain: la vie et la conscience. Pour y arriver, la nature, comme le bricoleur, fait feu de tout bois. Elle utilise aussi bien le déterminisme des lois de la physique que la contingence des collisions planétaires. La météorite a simplement fait «sauter un verrou».

* * *

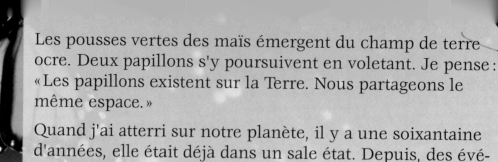

Les pousses vertes des maïs émergent du champ de terre ocre. Deux papillons s'y poursuivent en voletant. Je pense : « Les papillons existent sur la Terre. Nous partageons le même espace. »

Quand j'ai atterri sur notre planète, il y a une soixantaine d'années, elle était déjà dans un sale état. Depuis, des événements se sont passés : guerre mondiale, la bombe d'Hiroshima, l'industrialisation à outrance, Tchernobyl, l'amincissement de la couche d'ozone, l'effet de serre. Nous avons encore détérioré la situation et sérieusement compromis l'avenir. Beaucoup d'espèces animales qui partageaient notre habitat ont été éliminées.

Pour améliorer sa récolte, le paysan déverse des pesticides. Il faut dire la fragilité des papillons devant l'énormité de la puissance humaine. Le maïs pousse bien et les populations de papillons diminuent rapidement. Combien de temps encore profiterons-nous de leur éphémère beauté ?

L'Espace prend la forme de mon regard, Hubert Reeves, © Éditions du Seuil, 1999, coll. Points, 2002.

science et technologie

Hubert Reeves

L'astrophysicien Hubert Reeves est né à Montréal en 1932. Après avoir étudié la physique à l'Université de Montréal, puis à l'Université McGill, il se tourne vers les États-Unis où il reçoit en 1960 son doctorat en astrophysique de l'Université Cornell. Malgré son succès aux États-Unis, il revient enseigner à l'Université de Montréal, tout en conservant un poste de conseiller scientifique pour la NASA. Depuis 1966, il travaille en France comme directeur de recherche au Centre national de recherche scientifique.

Grand écologiste, Hubert Reeves ne cesse depuis des années de nous mettre en garde contre les catastrophes qui menacent la Terre : déforestation, désertification, contamination des eaux, réchauffement de la planète et extinction des espèces vivantes. Il a publié plus de trente ouvrages de vulgarisation scientifique, dont *Patience dans l'azur* (1981) et *L'heure de s'enivrer* (1986), qui sont considérés par plusieurs comme des chefs-d'œuvre du genre.

Parabase

Joyeusement, depuis combien d'années
L'esprit avec ardeur s'attache
À rechercher, à explorer
Comment vit, comment crée la nature ?

Éternelle vérité,
Le grand en petit, le petit en grand,
Chaque chose selon sa loi

Se transformant, se maintenant
Proche et lointaine, lointaine et proche,
Formant et métamorphosant.

— Et je suis là pour admirer !

Johann Wolfgang GOETHE

Sujet, idée principale et idées secondaires

Pour trouver le **sujet** d'un paragraphe, tu te poses la question : « De quoi parle-t-on dans ce paragraphe ? » En répondant à la question à l'aide d'un mot ou d'une expression, tu obtiens le sujet du paragraphe.

Pour trouver l'**idée principale** d'un paragraphe, tu peux te poser la question suivante : « Que dit-on d'important sur le sujet ? » Souvent l'idée principale se trouve au début du paragraphe. Mais elle peut aussi être à la fin.

> Certains mots, comme les mots **par exemple**, peuvent t'aider à repérer les idées secondaires.

La plupart du temps, l'idée principale est complétée par des précisions, des explications et des exemples, qui constituent les **idées secondaires** du paragraphe.

Observe les exemples ci-dessous.

Sujet : les croyances populaires de l'humanité	
Idée principale	*L'histoire de l'humanité fournit d'innombrables cas de croyances populaires.* ***Par exemple***, *les Romains de l'Antiquité pensaient que la foudre était une manifestation de la colère du dieu Jupiter. Et, au siècle dernier, des gens croyaient qu'il suffisait de mélanger de vieux tissus à des grains de blé pour faire apparaître des souris.*
Idées secondaires constituées d'exemples	

Sujet : la progression de la science	
Idées secondaires qui précisent l'idée principale	*La curiosité de l'être humain, insatiable, l'amène à trouver chaque jour de nouvelles réponses aux questions qu'il se pose, des réponses qui suscitent des questions plus nombreuses encore. Plus la science progresse, plus elle découvre des mystères à percer. C'est la curiosité qui pousse sans cesse la science vers l'avant.*
Idée principale	

Pour repérer les exemples, cherche les mots **comme** ou **par exemple**. Les mots **en effet**, **car**, **parce que** ou **c'est-à-dire** indiquent les explications ou les précisions.

Il peut arriver que l'idée principale ne se trouve pas écrite dans une phrase du texte. Tu dois alors examiner toutes les informations contenues dans le paragraphe et te demander ce qui est dit d'important sur le sujet pour formuler l'idée principale dans tes propres mots.

Quelques préfixes et leur sens

Préfixe	Sens	Exemples
anti-	contre	antigel, antipoison
auto-	soi-même	autopropulseur, autocollant
bi-	deux	bicyclette, bipède
co-	avec	coauteur, coopérer
dé-, dés-	contraire de	défaire, désinfectant
extra-	en dehors de	extraterrestre
en-, em-	dans	ensemencer, empoter
in-, im-, il-, ir-	contraire de	incapable, impair, illogique, irresponsable
inter-	entre	international, interactif
kilo-	mille	kilogramme, kilomètre
micro-	petit	micro-ondes, microfiche
multi-	plusieurs	multiculturel
poly-	plusieurs	polygone, polygamie
pré-	à l'avance, en avant	précuit, préfixe
re-, ré-, r-	de nouveau	redire, réécrire, rajouter
super-	au-dessus	superposer, supersonique
sur-	trop, au-dessus	surcharge, survoler
télé-	à distance	téléphone, téléguidé
tri-	trois	tricycle

La plupart des mots formés avec des préfixes sont de la même classe que le mot de base qui a servi à leur formation.

re-	+	dire (**verbe**)	=	**re**dire (**verbe**)
in-	+	capable (**adjectif**)	=	**in**capable (**adjectif**)
micro-	+	fiche (**nom**)	=	**micro**fiche (**nom**)

L'accord du verbe avec le sujet

Tu as appris que le verbe s'accorde avec le **pronom sujet** ou avec le **noyau du groupe du nom sujet**.

En effet, tu sais que le verbe reçoit la personne et le nombre du pronom sujet ou du noyau du groupe du nom sujet.

Le noyau du GN sujet a un complément qui contient un groupe du nom

> Vois maintenant des cas d'accord un peu plus complexes.

GN sujet

L'usage des substances dopantes **entraîn**e de graves conséquences chez les athlètes.

noyau
3ᵉ p. s.

complément
du nom usage

verbe
3ᵉ p. s.

Attention ! C'est le **noyau du groupe du nom sujet**, et non son complément, qui donne sa personne et son nombre au verbe.

Le sujet est un nom collectif

Lorsque le noyau du groupe du nom sujet est un **nom collectif** au **singulier** qui n'a pas de complément du nom, le verbe se met au **singulier**.

> Un nom collectif est un nom singulier qui désigne plusieurs personnes ou choses. Par exemple, les noms **classe**, **foule** et **groupe** sont des noms collectifs.

GN sujet

Le groupe **arriv**e ce matin.

noyau
3ᵉ p. s.

verbe
3ᵉ p. s.

GN sujet

Tout le monde **est** d'accord.

noyau
3ᵉ p. s.

verbe
3ᵉ p. s.

Le verbe a plus d'un sujet

● **Il y a deux groupes du nom sujets ou plus**

Tu remplaces les groupes du nom par un pronom personnel et tu accordes le verbe avec ce pronom.

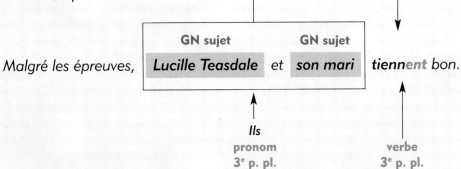

Malgré les épreuves,

GN sujet		GN sujet
Lucille Teasdale	et	*son mari*

*tienn**en**t* bon.

Ils
pronom
3e p. pl.

verbe
3e p. pl.

● **Il y a un pronom sujet ET un groupe du nom sujet**

Tu remplaces le pronom et le groupe du nom par un pronom personnel et tu accordes le verbe avec ce pronom.

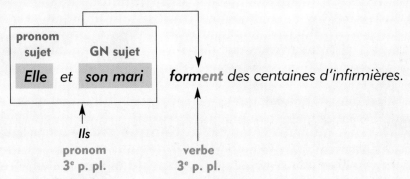

pronom sujet		GN sujet
Elle	et	*son mari*

*form**en**t* des centaines d'infirmières.

Ils
pronom
3e p. pl.

verbe
3e p. pl.

● **Il y a deux pronoms sujets**

Tu remplaces les deux pronoms par un seul pronom et tu accordes le verbe avec ce pronom.

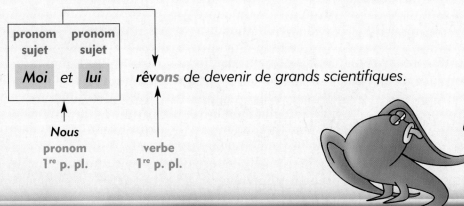

pronom sujet		pronom sujet
Moi	et	*lui*

*rê**v**ons* de devenir de grands scientifiques.

Nous
pronom
1re p. pl.

verbe
1re p. pl.

L'accord de l'adjectif attribut du sujet

L'attribut du sujet peut être un groupe du nom ou un adjectif. Quand l'attribut du sujet est un adjectif, il reçoit le genre et le nombre du **pronom sujet** ou du **noyau du groupe du nom sujet**.

● Le sujet est un **groupe du nom**

Lucille Teasdale a toujours eu la conviction que   **GN sujet** *son travail*   était **essentiel**.
       noyau   attribut du sujet
       m. s.   m. s.

GN sujet
Cette chirurgienne est devenue **séropositive** en se coupant pendant une opération.
   noyau   attribut du sujet
   f. s.   f. s.

● Le sujet est un **pronom**

Elle a été **choisie** parmi 4300 autres candidats canadiens.
pronom   attribut du sujet
f. s.   f. s.

Attention! Le mot qui suit le verbe **être** (ou un verbe qu'on peut remplacer par le verbe **être**) n'est pas toujours un attribut du sujet. Il peut s'agir du **participe passé** d'un verbe à un temps composé. Observe.

verbe **naître** au passé composé
Roberta Bondar   **est née**   en 1945.
auxiliaire être ———┘   └——— participe passé

verbe **être** au présent
Roberta Bondar   **est**   choisie parmi 4300 candidats.
└——— attribut du sujet

Si tu peux mettre le verbe au présent sans changer le sens de la phrase, le mot qui suit le verbe **être** est un participe passé. Sinon, c'est un attribut.

> Le **participe passé employé avec l'auxiliaire être** et l'adjectif **attribut du sujet** suivent les mêmes règles d'accord. L'as-tu remarqué?

Roberta Bondar **naît** *en 1945.*

Roberta Bondar ~~choisit~~ *parmi 4300 candidats.*

La sculpture contemporaine

Aujourd'hui, la sculpture éclate dans toutes les directions. Bien qu'elle ne soit plus théoriquement guidée par des principes magiques comme dans le passé, elle continue à rechercher un idéal de beauté et à traduire l'éternelle fascination de l'être humain pour la matière. Une matière que les sculpteurs contemporains se plaisent à assembler, styliser, compresser, emballer, gonfler, accumuler...

Lis ce texte pour connaître les diverses avenues qu'empruntent des sculpteurs innovateurs.

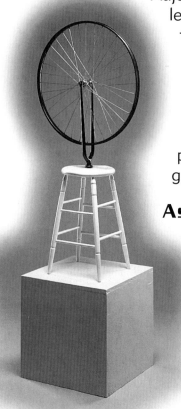

La *Roue de bicyclette*,
un des *ready-made* les plus...
déroutants de Marcel Duchamp.

Assembler : Marcel Duchamp

Les *ready-made* de Marcel Duchamp, créés au début du 20ᵉ siècle, demeurent parmi les objets les plus surprenants que l'on puisse trouver dans un musée. Ils sont généralement constitués d'étranges assemblages d'objets industriels fabriqués en série, comme cette fourche de vélo avec sa roue fixée sur le siège d'un tabouret. Duchamp, bien sûr, n'a pas oublié de signer ses déroutantes créations, et c'est tant mieux, car aurait-on osé autrement parler d'œuvres d'art ? Jeu d'esprit, l'art de Duchamp est d'abord un questionnement sur la signification de la sculpture dans le monde moderne.

Styliser, abstraire : Henry Moore

Le sculpteur Henry Moore était particulièrement fasciné par la figure humaine, entre autres par l'anatomie féminine, qu'il transposait dans la pierre, son matériau de prédilection. Bon nombre des formes rondes qu'il a polies sont en effet autant d'allusions au corps féminin. Mentionnons également que Moore gardait, comme dans l'art primitif, certaines parties de la matière intactes, à l'état brut, une façon de souligner l'œuvre de la nature.

Statue de bronze, d'Henry Moore, à Washington.

Et comme il aurait aimé que toute sculpture soit un paysage, on comprend d'autant mieux pourquoi il a souvent aménagé dans les siennes des cavités permettant aux spectateurs d'admirer en même temps l'environnement. Un art qui consacre une union avec la nature.

Compresser : César Baldaccini, dit César

Artiste innovateur fasciné par les machines, ce sculpteur français né à Marseille se sert de voitures qu'il compresse dans des concasseurs pour créer ce qu'il nomme tout simplement des « compressions ». Ces formes bizarres nées d'une volonté d'intégrer de nouveaux domaines à l'expression plastique ont incontestablement élargi les horizons de la sculpture.

La *Compression Ricard*, de César, réalisée en 1962.

Emballer : Christo Javacheff, dit Christo

Du roi de la compression, on passe maintenant au maître de l'emballage, pour qui envelopper des monuments gigantesques correspond à une œuvre sculpturale. Qu'il soit question du Pont-Neuf de Paris, d'un kilomètre de côte australienne, d'un hôtel de ville en Suisse ou des îles d'un archipel, aucune structure ne semble pouvoir résister à Christo.

Un des immenses emballages de Christo, œuvre réalisée à Paris en 1985 et intitulée tout simplement *Le Pont-Neuf emballé*.

Pourquoi emballer des monuments qui sont déjà des merveilles architecturales ? Parce que, selon l'artiste, l'emballage leur confère un caractère mystérieux. C'est une sorte de clin d'œil aux origines magiques de la sculpture !

Agrandir, gonfler : Claes Oldenburg

Côté gigantisme, Oldenburg ne donne pas sa place non plus. L'énorme pince à linge qu'il a érigée à Philadelphie est assez convaincante. Avec ses 14 mètres de hauteur, voilà une pince à linge qui mérite la plus grande chaussette du monde ! Situé entre l'humour et le fantastique, l'art d'Oldenburg arrive à rendre merveilleux, en les agrandissant à l'extrême, les objets les plus banals. Dans la pratique de son art, le sculpteur a aussi recours au gonflement et au dégonflement d'objets courants issus de la culture moderne américaine, comme des hamburgers ou des prises électriques, confectionnés dans des matériaux expansibles. Dégonfler ces objets triviaux, c'est, pour certains critiques, une manière efficace de contester le matérialisme américain.

→

Oldenburg a développé une forme d'art très personnelle et tout empreinte d'humour. La gigantesque pince à linge qu'on voit sur la photo n'est pas sa seule représentation géante d'un objet quotidien, puisque l'artiste a créé, dans des proportions aussi demesurées, un rouge à lèvres et un sac à glace.

↓

Accord final, d'Armand. La sculpture est constituée d'un piano brisé, coulé dans le bronze.

Accumuler, détruire : Armand Fernandez, dit Armand

Aussi original que ses pairs, le sculpteur Armand Fernandez accumule des quantités considérables d'objets ordinaires, tels que des capsules de bouteilles, qu'il dispose ensuite à sa façon pour créer de très évocatrices « accumulations ». Certaines de ses œuvres sont gigantesques, notamment celle qu'il a réalisée en France, à Jouy-en-Josas, en 1982.

Constituée de 59 automobiles et de 1600 tonnes de béton, la sculpture atteint plus de 20 mètres de hauteur. Mais l'originalité d'Armand ne semble pas s'arrêter là.

Il aime, paraît-il, détruire violemment certains objets, un piano par exemple, dont il assemble ensuite les morceaux en les vissant sur un support pour en faire un tableau-sculpture très expressif. Il a titré *Colère* toutes les œuvres qu'il a créées en utilisant cette technique.

Tout est sculpture!

On considère aujourd'hui que tout objet en trois dimensions produit par un artiste est une sculpture. Quelle époque merveilleuse! La seule limite qui risque de freiner l'élan de tous ces créateurs sera celle de leur imagination...

- À ton avis, qu'est-ce qui distingue la sculpture contemporaine de la sculpture ancienne?

- Si tu faisais de la sculpture, préférerais-tu assembler, styliser, compresser, emballer, gonfler ou accumuler? Explique.

arts plastiques

L'art inuit

L'Arctique canadien est peuplé d'humains depuis plus de 4000 ans. Les fouilles archéologiques ont permis de retrouver beaucoup d'objets qui témoignent de la grande maîtrise artistique que possédaient les Inuits et les peuples de chasseurs préhistoriques dont ils descendent. Il semble que le peuple de la culture du Dorset (600 av. J.-C. à 100 apr. J.-C.) ait été le premier à créer en abondance des objets d'art figuratifs. On a en effet trouvé plusieurs représentations d'ours, de phoques, de morses et d'oiseaux sculptés dans du bois, de l'ivoire ou des os d'animaux. On croit que ces œuvres avaient avant tout une signification religieuse.

Bien plus tard, à cause de leurs contacts avec les Blancs, les Inuits se sont mis à produire des œuvres raffinées pour répondre à la demande de collectionneurs. Ces œuvres, qui représentaient généralement des scènes de la vie traditionnelle, avaient une valeur plus artistique que religieuse.

Vers les années 1940 commence la période moderne de l'art inuit. Le gouvernement a alors encouragé le développement de la sculpture inuite, y voyant une intéressante source de revenus pour les artistes autochtones. Ces sculptures, taillées dans de la pierre, de l'anthler ou de l'os, ont vite acquis une réputation internationale. Les artistes inuits contemporains communiquent à travers leurs sculptures leurs mythes, leurs légendes et leur vécu traditionnel ou actuel.

Les assiettes à fromage

Claire St-Onge

Assis derrière le volant de son camion bringuebalant au milieu du chemin de campagne, Manu souriait à belles dents. Il venait de dénicher chez un brocanteur trois autres antennes paraboliques pour ajouter à sa sculpture, un projet d'envergure sur lequel il travaillait depuis plusieurs mois.

«Soixante-dix-huit assiettes... songeait Manu. Je me demande combien ça peut peser... Aaahh!»

Manu freina juste à temps pour éviter d'écrabouiller Fred, une des chèvres de Carlotta.

«Mais où tu vas comme ça, Fred? Le pré, c'est de l'autre côté de la clôture, au cas où tu aurais oublié...»

Le grand artiste de un mètre quatre-vingt-dix-huit déplia ses longues jambes et bondit sur la route. D'un geste vif, il empoigna Fred par les quatre pattes et la replaça dans le pré.

«Tu vois bien qu'il n'y a rien à brouter de ce côté!» dit Manu pour s'excuser d'avoir bousculé la chèvre.

Fred lui jeta un regard morne avant d'aller rejoindre les autres qui s'ennuyaient un peu plus loin.

Manu aperçut alors Carlotta sortant de sa fromagerie. Il décida d'aller voir sa chère voisine avant de se remettre au travail.

«Regarde, Carlotta! jubilait Manu. Trois autres assiettes pour ma sculpture, et que j'ai eues pour trois fois rien!»

Mais Carlotta, elle, n'avait pas l'air dans son assiette.

«Super, dit-elle sans le moindre enthousiasme. Veux-tu du fromage? J'en ai 10 kilos à donner...

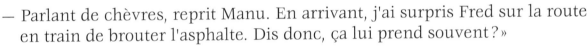

— Qu'est-ce qui ne va pas? demanda Manu, soudain inquiet de la mine maussade de son amie.

— Il y a que mon fromage a un drôle de goût et que les clients n'en veulent plus...

— Ben voyons! Il est excellent, ton fromage! J'en mangerais des kilos!

— C'est gentil, Manu, mais ton opinion ne compte pas... Toi, tu t'y connais en art, mais pour ce qui est de la gastronomie... Et c'est vrai que le lait de mes chèvres a un arrière-goût franchement dégueulasse depuis quelque temps.

— Parlant de chèvres, reprit Manu. En arrivant, j'ai surpris Fred sur la route en train de brouter l'asphalte. Dis donc, ça lui prend souvent?»

Carlotta secoua ses tresses, l'air découragé.

«C'est la quatrième fois cette semaine qu'une chèvre saute la clôture. Je ne sais pas ce qu'elles ont... J'ai fait venir le vétérinaire et il n'a rien trouvé d'anormal. Mais si ça continue, je vais devoir fermer la fromagerie.

— Bah! ne sois pas si pessimiste, ma belle Carlotta! Ça va finir par s'arranger... Tu vois, moi qui suis en train de réaliser rien de moins qu'un chef-d'œuvre, eh bien... je n'ai encore trouvé personne intéressé à l'acquérir. J'ai pourtant frappé à toutes les portes: gouvernements, organismes, sociétés, entreprises... bref, partout où il y avait un espace assez vaste pour accueillir le fruit de mon génie... Résultat? Nul! Mais je ne me laisse pas décourager pour autant. Non, madame! Le seul hic pour le moment, c'est que ma sculpture est tellement grande que je n'ai plus de place pour bouger dans ma cour...

— Tu peux toujours la poser dans le pré en attendant, suggéra Carlotta. Ce n'est pas l'espace qui manque...»

Manu s'élança pour embrasser son amie sur les deux joues.

«Carlotta, tu es un ange! Je t'adore!

— Ou... ouais, bafouilla Carlotta en rougissant. Et qu'est-ce que je fais avec mes 10 kilos de fromage?

— Ben, si tu me les donnes, je vais les manger! assura Manu. Je meurs de faim!»

Revêtu de son attirail de soudeur, Manu travailla de longues heures à assembler les dernières assiettes qui composaient sa grande sculpture. Complètement absorbé dans son projet, il ne remarqua pas la présence des chèvres de Carlotta qui étaient venues jeter un coup d'œil intéressé à l'étrange montagne qui avait poussé dans sa cour.

Quelques jours plus tard, la sculpture achevée fut posée sur un camion-remorque et transportée quelques centaines de mètres plus loin, dans le pré de Carlotta. Cette dernière n'y prêta d'abord pas beaucoup attention, occupée qu'elle était à courir après ses chèvres et à essayer de trouver une nouvelle recette de fromage... Mais en jetant un coup d'œil par la fenêtre de sa cuisine, elle découvrit soudain, perchées sur la sculpture de Manu, ses trois chèvres qui s'amusaient à sauter d'une assiette à l'autre. Carlotta eut d'abord l'idée de les chasser, de crainte qu'elles n'abîment quelque chose. Puis elle décida d'attendre au lendemain et d'en parler à Manu. «Au moins, pendant qu'elles sont là-haut, elles ne pensent pas à aller brouter l'asphalte», se dit-elle.

Carlotta fut soulagée d'apprendre que Manu ne voyait aucun mal à ce que les trois chèvres prennent sa sculpture pour un parc d'amusement.

«Si j'étais une chèvre, dit Manu, moi aussi je serais plutôt content d'avoir un endroit où grimper... Car un pré, c'est bien joli, mais ça manque un peu de relief...

— Je ne savais pas qu'on m'avait vendu des chèvres de montagne, dit Carlotta. Ça explique pourquoi elles semblaient s'ennuyer tout le temps... Mais grâce à toi, Manu, je n'ai plus besoin de leur courir après. Elles ont adopté ta sculpture, ma foi!

— Ça en fait au moins trois qui apprécient mon art!» rigola Manu.

Le jour même, il se produisit quelque chose de plus étonnant encore : de nombreux automobilistes qui passaient devant la ferme de Carlotta s'arrêtaient pour admirer le spectacle des chèvres sautillant sur la grande sculpture aux assiettes de Manu.

Et les jours suivants, la clientèle était de retour à la fromagerie. Car depuis que ses chèvres avaient recommencé à brouter l'herbe du pré entre deux escalades, leur lait, bien plus abondant qu'avant, avait retrouvé sa bonne saveur, et le fromage n'avait jamais été aussi délicieux!

La petite fromagerie artisanale devenait tout à coup prospère et tenait Carlotta fort occupée. Mais dès qu'elle trouvait un peu de temps libre, elle accourait chez Manu qui, lui, était déjà accaparé par sa prochaine création.

«Dis, Manu, commença Carlotta en essayant de se frayer un passage à travers les matériaux disparates qui jonchaient la cour, il serait peut-être temps de trouver un titre à ta sculpture, tu ne penses pas? Plusieurs clients me le demandent et...»

Manu regardait attentivement Carlotta, un sourire amusé accroché aux lèvres.

«Et? questionna Manu sur un ton malicieux. Qu'est-ce que tu leur réponds?

— Eh bien... Je leur dis pour rire que ton œuvre s'intitule *Les assiettes à fromage*», pouffa Carlotta.

Manu éclata de rire à son tour.

«Les assiettes à fromage... Je n'y avais pas pensé mais j'aime bien!

— Et moi, j'achète! répliqua Carlotta.

— Quoi? demanda Manu, soudainement interloqué.

— Ta sculpture! expliqua Carlotta. Je te l'achète! Je ne pourrais plus m'en passer. C'est vraiment la meilleure publicité que j'aie jamais eue, tu comprends?»

Manu était flatté, mais un peu mal à l'aise.

«Si on faisait plutôt un échange? suggéra-t-il. Je te donne mes assiettes et toi, tu me ravitailles en bon fromage, d'accord?»

Carlotta était aux anges.

— Marché conclu!» lança-t-elle en riant avant de sauter au cou de son grand Manu d'amour.

Le jaillissement spontané :

Marcelle Ferron

Fais connaissance avec de grands peintres et leurs œuvres en lisant ces quatre textes.

Marcelle Ferron a 7 ans quand elle décide de devenir peintre. À 18 ans, elle entre à l'École des beaux-arts de Québec. Puis elle devient l'élève du célèbre peintre automatiste Borduas. Les peintres automatistes font leurs tableaux sans idées préconçues, en laissant libre cours à leur imagination.

La peinture abstraite répond à son désir de liberté d'expression. Selon elle, l'essence d'un tableau ne se trouve pas dans l'objet qu'il représente, mais dans l'émotion intérieure qu'il transmet. La figuration, le fait de représenter des objets ou des personnes, lui semble donc une entrave à l'expression. Pour elle, la liberté, c'est le hasard. Elle peint donc spontanément, instinctivement, jugeant sa production une fois le travail fait.

Passionnée et énergique, Marcelle Ferron inscrit son geste créateur sur la toile en donnant de larges coups de spatule dans la pâte épaisse des couleurs. Elle réalise ainsi des compositions abstraites souvent compactes qui se détachent nettement sur un fond d'un blanc éclatant. Les effets de lumière sont très importants dans son œuvre où des couleurs chaudes et intenses contrastent avec des tons sombres.

Il y a des œuvres de Marcelle Ferron dans plusieurs musées du monde. Tu peux admirer un de ses vitraux au métro Champ-de-Mars, à Montréal.

Est-ce cette passion pour la lumière qui va l'amener à créer d'immenses vitraux ? Chose certaine, le verre coloré est idéal pour mettre en valeur la luminosité de la couleur. Marcelle Ferron devient verrière. Désormais, elle crée des œuvres publiques et sa méthode change. Comme ses vitraux doivent être intégrés à des constructions, il lui faut travailler en équipe et recourir au travail en usine pour la préparation d'immenses pans de verre.

Sculpture (acier et verre) de Marcelle Ferron au métro Vendôme, à Montréal.

Les dernières toiles de Marcelle Ferron sont des œuvres verticales, plus longues que larges, qui semblent évoquer des idéogrammes, mais ce sont toujours des tableaux automatistes, créés dans l'inspiration du moment. Et la luminosité des fonds, qu'elle accentue encore en ajoutant à sa peinture des pigments dorés ou argentés, reste bien typique de sa manière de travailler.

arts plastiques

Gustav Klimt
(1862-1918)

Plusieurs historiens de l'art considèrent Gustav Klimt comme le plus grand artiste autrichien de son époque. Il se rattache à un mouvement artistique très riche qu'on a appelé L'Art Nouveau, qui s'est opposé à la mécanisation et à la consommation de masse de la révolution industrielle. Artiste très prolifique, Klimt a réalisé des milliers de dessins, de peintures et de fresques murales, des œuvres dans lesquelles les femmes occupent une place centrale. Klimt a créé beaucoup de figures symboliques aux tons éclatants, où dominent l'or et le rouge, et des formes sinueuses dans un espace sans profondeur et sans perspective. L'audace de ses motifs annonce les futures recherches formelles des peintres abstraits.

Le Baiser.

Le triomphe de l'imaginaire :
Alfred Pellan

La spontanéité du geste pictural ne convient pas à tous. Alfred Pellan juge facile la peinture abstraite et instinctive des automatistes. Il va plutôt puiser dans son imaginaire et peindre avec application des tableaux présentant des objets déformés et d'étranges créatures qui étonnent, séduisent et inquiètent parfois.

Écolier, Alfred Pellan remplissait ses cahiers de dessins. Dès 14 ans, il étudie à l'École des beaux-arts de Québec où il obtient les premiers prix. Il a 17 ans quand la Galerie nationale du Canada lui achète une première œuvre.
Il obtient ensuite une bourse et va étudier à Paris. Quand la Seconde Guerre mondiale éclate, il rentre au pays et gagne sa vie en enseignant les arts. Il conçoit des costumes et des décors de théâtre, et il réalise de grandes murales en peinture, en vitrail et en céramique. Au milieu des années 1950, après un autre séjour à Paris, il revient au Québec et, cette fois, sa renommée s'étend.

Sur plusieurs toiles de Pellan, de grands oiseaux bizarres et des bêtes étranges, tachetées, rayées et multicolores s'entassent et se déploient. Pour les créer, l'artiste utilise diverses formes de spatules et même des peignes pour triturer l'épaisse pâte de couleur, à laquelle il incorpore parfois des grains de tabac, des feuilles séchées et des débris minéraux, pour créer des effets de profondeur.

Pellan est un artiste méticuleux. Chez lui, c'est le dessin, la ligne et les symboles qui contrôlent l'élaboration des images. Il n'y a pas chez lui de geste spontané. Sa peinture est joyeuse, vive, fantaisiste et souvent humoristique.

Les œuvres de Pellan sont exposées dans de nombreux musées du monde. On peut en voir certaines au Musée d'art contemporain de Montréal, au Musée national des beaux-arts du Québec ou à la Galerie nationale du Canada.

Un peintre éclectique :

Jean Dallaire

Jean Dallaire avait le don de la peinture et du dessin. À 10 ans, il s'amusait à peindre et à reproduire des affiches de cinéma. À 18 ans, il avait fait de nombreux portraits et des scènes religieuses dont la qualité surprend encore aujourd'hui. En 1938, il va étudier à Paris. Durant la guerre, il est prisonnier des Allemands pendant deux ans. De retour au Québec en 1946, il peint, enseigne et travaille comme dessinateur à l'Office national du film. Puis il retournera peindre dans le sud de la France où il mourra.

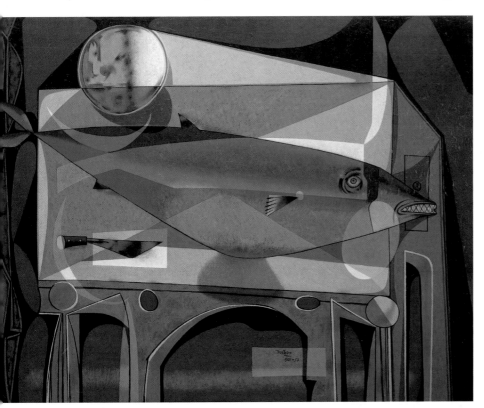

Nature morte au poisson.

Jean Dallaire est une énigme pour beaucoup de critiques d'art, parce qu'il a exploré plusieurs mouvements picturaux, notamment le symbolisme, le surréalisme et le cubisme. Si tu as la chance de parcourir un livre sur l'œuvre de ce peintre, ou mieux, de visiter une exposition qui lui est consacrée, tu verras qu'il a adopté tour à tour de nombreuses manières de peindre. Cependant, toutes ses œuvres sont aussi différentes qu'intéressantes et pleines de brio.

L'une des manières de peindre de Dallaire est fortement influencée par sa découverte de la tapisserie. Dallaire s'inspire en effet de cette forme d'art pour organiser la surface de ses toiles qu'il surcharge minutieusement de motifs décoratifs : rayures, motifs floraux, carreaux, broderies, dentelles, pointillés, répétitions de motifs animaliers. Tous les personnages et objets sur ces très grandes toiles se trouvent ainsi transformés par leur transposition dans une autre forme d'art. La majeure partie des tableaux de Dallaire sont figuratifs. Ses personnages et sujets sont carnavalesques. Ils sont parfois humoristiques, mais aussi souvent féroces et caricaturaux.

L'exploration artistique de la nature:

Lili Richard

Lili Richard s'est toujours passionnée pour les arts. De l'enfance à la maturité, elle a dessiné. Puis un jour, elle s'est décidée à faire un baccalauréat en arts plastiques et à se mettre pour de bon à la peinture.

Elle construit maintenant de très grands tableaux représentant des paysages. Dans ces tranches de nature des débuts du monde, elle fait parfois apparaître des silhouettes animales ou humaines.

Beaucoup d'organismes, de ministères et de grandes entreprises possèdent des œuvres de Lili Richard. L'école Albert-Schweitzer de Saint-Bruno possède sept modules de l'artiste.

La nature est sa grande préoccupation. Ses œuvres font allusion aux éléments, aux vastes étendues territoriales, aux mouvements migratoires des animaux et aux mythes amérindiens.

Lili Richard expérimente beaucoup; elle travaille avec toutes sortes de matières: du sable, des os, du papier déchiqueté, des enduits acryliques. Elle utilise comme support des bâches de camion, de la toile ou du papier qu'elle chiffonne, découpe, plie, déplie, coud, colle et racle. Résultats: le support garde l'empreinte de l'émotion contenue dans ses gestes. Les plis et déformations qui marquent les bâches créent aussi des formes et des effets que l'artiste prolonge en jouant de la couleur et des symboles. C'est ainsi qu'elle exprime sa vision de la nature et tente de capturer la mémoire du temps.

○ Quel est l'artiste dont l'œuvre t'attire le plus? Explique.

○ À la manière duquel de ces artistes aimerais-tu travailler? Pourquoi?

Des éventails brisés

Les crocodiles d'à présent ne sont plus des crocodiles. Où sont les bons vieux aventuriers qui vous accrochaient dans les narines de minuscules bicyclettes et de jolies pendeloques de glace ? Suivant la vitesse du doigt, les coureurs aux quatre points cardinaux se faisaient des compliments. Quel plaisir c'était alors de s'appuyer avec une gracieuse désinvolture sur ces agréables fleuves saupoudrés de pigeons et de poivre !

Il n'y a plus de vrais oiseaux. Les cordes tendues le soir dans les chemins du retour ne faisaient trébucher personne, mais, à chaque faux obstacle, des sourires cernaient un peu plus les yeux des équilibristes. La poussière avait l'odeur de la foudre. Autrefois, les bons vieux poissons portaient aux nageoires de beaux souliers rouges.

Il n'y a plus de vraies hydrocyclettes, ni microscopie, ni bactériologie. Ma parole, les crocodiles d'à présent ne sont plus des crocodiles.

Paul ÉLUARD

Les malheurs des immortels révélés par Paul Éluard et Max Ernst recueilli dans *Poésies 1913-1926*, © Éditions Gallimard, 1968.

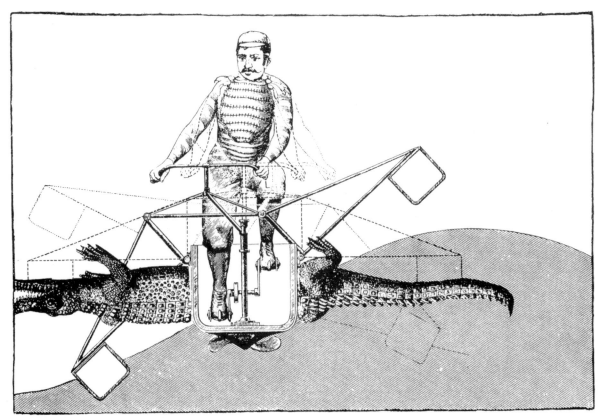

Collage de Max Ernst.

Calligrammes

Guillaume Apollinaire

La sculpture inconnue

Claude MORIN

Il fait nuit. Une clef joue dans la serrure. Le bruit d'une porte qui s'ouvre résonne dans le silence. Wanda entre. Son atelier, si joyeux le jour, baigne maintenant dans une sinistre clarté lunaire. Hésitante, la sculpteure contemple les ombres qui ont envahi coins et recoins. Elle n'aime pas l'obscurité.

Finalement, elle fait un peu de lumière et de petites taches de couleur s'allument près d'elle : ce sont ses sculptures. Wanda les observe. Elle aime contempler ses œuvres. Cela lui fait du bien. Mais voilà qu'une sculpture attire son regard. Elle est belle, flamboyante... et inconnue d'elle. Stupéfaite, Wanda fouille dans sa mémoire. En vain. Cette sculpture ne lui dit rien. Elle n'est pas d'elle !

Soudain effrayée, la sculpteure tente de percer l'obscurité du fond de l'atelier. Qui est entré dans l'atelier et quand ? Est-ce un malfaiteur qui a fait cette sculpture ? Et si c'était cet inquiétant personnage qu'elle a remarqué parmi les clients cet après-midi ? Qui sait si cet homme étrange n'est pas resté en arrière... et s'il n'est pas présentement tapi dans l'ombre, à épier ses moindres gestes ? Il me faut alerter quelqu'un, pense Wanda. Mais qui ? Et de quoi ? Énervée, l'artiste saisit un ciseau, bien résolue à se défendre coûte que coûte.

Mal à l'aise, elle hésite. Elle a peur, mais l'œuvre étrange la fascine. Que c'est beau ! pense-t-elle, admirative. Mais qu'est-ce que ça représente ? Cela non plus, Wanda ne peut pas le dire.

Soudain, une sonnerie stridente déchire le silence. Wanda croit que son cœur va éclater, mais ce n'est que le téléphone. Interdite, la sculpteure laisse sonner. Une fois. Deux fois. Trois fois. Brusquement, elle bondit sur l'appareil, mais on a raccroché. Apeurée, Wanda prend la fuite.

L'air froid de la nuit l'aide à se remettre un peu. Mais bientôt l'inquiétude la reprend, car le mystère reste entier et l'œuvre inconnue la hante. Elle la revoit en pensée et s'en émerveille. Elle pressent que cette sculpture est un signe du destin. Elle n'ose cependant pas retourner dans l'atelier maintenant. Elle s'installe plutôt en sentinelle devant la porte. Aussitôt, un chat noir lui file entre les jambes en poussant un miaulement lugubre. Tremblante, la gorge sèche, Wanda a un petit rire nerveux.

Le temps s'écoule lentement et Wanda a froid. Elle décide d'aller se réchauffer au Café des artistes dont elle aperçoit les lumières au coin de la rue. Elle n'y est pas aussitôt entrée qu'elle regrette déjà de s'être éloignée de la sculpture. Préoccupée, elle ne répond pas aux amis qui l'interpellent, lui trouvant l'air étrange.

Son café avalé, Wanda ressort. Elle a retrouvé tout son aplomb. Elle est bien résolue à régler le compte de cet individu qui s'est servi de son atelier pour sculpter un chef-d'œuvre. Elle a hâte d'en découdre avec ce vilain... ce terrible... ce terrible génie! En esprit, elle revoit la courbe splendide qui se détachait de la pierre et les élégantes rondeurs au centre. La composition fantôme remplit maintenant son cerveau. Doucement, elle en apprivoise le souvenir.

En approchant de son atelier, Wanda aperçoit la lueur de la lampe qu'elle avait allumée. Elle décide donc de jeter un œil à la haute fenêtre du côté du jardin. Fébrile, elle cherche un objet sur lequel se hisser. Elle s'est à peine installée qu'une lourde main s'abat sur elle, la tirant violemment en arrière. Wanda sent son sang se glacer dans ses veines. Que va-t-il lui arriver ? Des yeux féroces la regardent. Des yeux d'une agente de police qui n'aime guère les rôdeurs.

À force de parlementer, Wanda finit par convaincre la policière qu'elle n'est qu'une honnête artiste, qu'une malheureuse victime. Elle raconte la découverte de la sculpture inconnue et avoue sa peur du dangereux intrus.

La représentante de l'ordre n'a pas un moment d'hésitation. Arme au poing, elle fait irruption dans l'atelier, sommant d'une voix tonnante tout malfaiteur de se montrer immédiatement. Résultat ? Aucun. Wanda sur les talons, la policière allume d'autres lampes. Il y a maintenant de la lumière partout et d'intrus nulle part.

« Alors, dit la policière, où est-il ce bandit ? » Confuse, Wanda tente de se justifier en désignant l'énigmatique sculpture. « Et alors ? » rétorque l'agente qui, déjà, a retourné la sculpture, faisant du coup s'évanouir le mystère.

Wanda reconnaît enfin la forme qu'elle avait sculptée la veille.

L'aventure était ridicule, mais Wanda ne la regrettait pas, car elle avait enfin trouvé la clef de son art. C'est en effet cette nuit-là que Wanda, futur chef de file de l'art abstrait, comprit qu'elle n'utiliserait plus jamais les formes de la même façon. Une révolution artistique mondiale allait commencer.

La magie de l'objet

Les grands sculpteurs contemporains se sont souvent beaucoup plus préoccupés de la forme que du sujet. Le Suisse Alberto Giacometti, par exemple, a transformé en tête humaine une dalle de pierre en suggérant les traits par de simples creux, comme s'il cherchait à créer une figure en préservant le plus possible la forme originale du bloc. De même, les sculptures d'Henry Moore ne partent jamais d'un modèle. Le sculpteur ne veut pas copier la nature. Il veut créer un objet, un objet unique qui n'a jamais existé. Moore part d'un bloc de pierre et il s'efforce de deviner la forme qu'appelle ce bloc. Une fois sculpté, le bloc pourra évoquer une forme féminine, mais ce ne sera jamais une sculpture de femme. Plusieurs sculpteurs modernes ont redécouvert la fascination des primitifs pour les objets, chargés d'une sorte de pouvoir magique.

La musique actuelle

En mai 2003, le Festival international de musique actuelle de Victoriaville (FIMAV) célébrait son 20e anniversaire. Sur scène se trouvaient René Lussier, John Zorn, Fred Frith et de nombreuses autres vedettes de ce courant musical méconnu, totalement à l'écart des habitudes musicales de la majorité de la population.

Lis ce texte pour mieux connaître la musique actuelle.

Un art sans contraintes

Pour comprendre ce qu'est la musique actuelle, il faut surtout comprendre ce qu'elle n'est pas. La musique actuelle n'est pas conformiste. Elle ne se donne aucune limite et elle ne recherche ni le succès ni la facilité. Du groupe TUYO qui explore les possibilités des instruments à vent à Helmut Lipsky qui compose pour des sirènes de bateaux, tout est possible dans le monde de la musique actuelle.

Le Québec est une des régions les plus riches au pays dans ce style musical. Grâce au FIMAV, bien sûr, mais grâce aussi à tous les compositeurs qui n'ont pas hésité à remettre en question la conception classique de la musique. Walter Boudreau, aujourd'hui directeur artistique et compositeur attitré de la Société de musique contemporaine du Québec, a été l'un de ces pionniers.

Walter Boudreau est né en 1947 à Montréal. À 18 ans, il est à la tête de son propre groupe de jazz. En 1967, il fonde avec Raôul Duguay le groupe L'Infonie. Formé de 33 musiciens québécois, L'Infonie se donne pour objectif principal d'exprimer la folie créatrice de ses membres. L'ensemble a créé par exemple un spectacle intitulé *Wéziwézokékafalachola*. La troupe était entourée sur scène de 33 sapins plantés la tête en bas. Les musiciens interprétaient une musique inspirée à la fois du jazz, de la musique classique, du rock et du chant grégorien.

Walter Boudreau.

Les musiciens avaient également intégré au spectacle la production de dessins, de peintures et de sculptures. Cette diversité ne pouvait évidemment qu'étonner les spectateurs, parfois enthousiastes, parfois choqués. Ce qui ne les empêcha pas de se produire, toujours de manière aussi loufoque, jusqu'en 1974. Un jour, les musiciens entrèrent sur scène avec des chaussettes en guise de boucles d'oreilles.

Parallèlement à ces activités, Walter Boudreau obtint une bourse pour poursuivre ses études avec les plus grands musiciens contemporains de l'époque : Olivier Messiaen à Paris et Pierre Boulez à Cleveland. On lui a décerné par la suite une autre bourse qui lui permit cette fois de poursuivre ses études en informatique musicale. Il est encore aujourd'hui très actif dans le domaine de la composition musicale.

Une recherche musicale

Au-delà de sa folie apparente, la recherche musicale est au cœur même de la musique actuelle. Cet esprit de recherche et d'expérimentation se poursuit au Québec grâce à Lorraine Vaillancourt qui fonda, en 1978, la société « Événements du neuf » afin de faire connaître la musique contemporaine à Montréal.

Si les compositeurs et interprètes suivent les tendances traditionnelles de la musique classique et du jazz, l'innovation dont ils font preuve a tout pour surprendre. Ainsi, en 1995, Helmut Lipsky fit jouer à Pointe-à-Callière une symphonie pour sirènes de bateaux, sifflets de locomotive et carillons d'église ! Autre exemple d'innovation, Montréal

Chaque hiver, depuis 1995, les *Symphonies portuaires* sont présentées aux abords du musée de Pointe-à-Callière dans le Vieux-Montréal.

René Lussier.

Musique Actuelle présenta en 1990 une symphonie qui regroupait sur scène 101 guitaristes rock. Cette fois encore, la démesure, en plus d'être spectaculaire, cherchait à explorer une autre façon de concevoir la musique.

Le Québec se distingue par la qualité des artistes qu'on y trouve. Parmi les figures importantes, mentionnons d'abord Jean Derome et René Lussier, des musiciens accomplis qui s'efforcent de diffuser la musique actuelle d'ici. Mentionnons aussi Diane Labrosse, une accordéoniste qui se spécialise dans l'échantillonnage de sons de toutes sortes et qui a collaboré, entre autres, au spectacle *Zulu Time* du dramaturge Robert Lepage. Elle a également écrit pour l'événement annuel *Symphonies portuaires* qu'avait inauguré Helmut Lipsky en 1995. Terminons avec Joane Hétu, saxophoniste et chanteuse, qui excelle dans l'improvisation, autant pour la musique que pour les paroles, et qui dirige maintenant son propre ensemble, Castor et compagnie.

De nouveaux instruments

L'innovation qui caractérise la musique actuelle se traduit par le choix des instruments et par le désir d'aller à l'encontre des habitudes, mais aussi par un important travail technique de création d'instruments. Dans ce domaine, les chefs de file sont incontestablement les membres du groupe TUYO. Fondé en 1987 par Guy Laramée et Carol Bergeron, le groupe a tout de suite senti le besoin de créer de nouveaux instruments pour répondre à ses besoins artistiques. Les instruments développés par le groupe ont pour particularité d'intégrer une gestuelle qui force le musicien à être également danseur ou comédien, ce qui fait que les spectacles de TUYO s'apparentent à des spectacles de danse.

Parmi les nouveaux instruments inventés par le groupe, mentionnons le bavophone, une sorte de mini-piano actionné par des valves d'air dans des anches d'harmonica. Les musiciens doivent se coucher sur le dos pour en jouer, ce qui les fait baver! Leur harpe, quant à elle, est composée de cordes de piano longues de neuf mètres sur lesquelles le musicien frappe d'une main gantée. À l'extrémité, un amplificateur en forme de cône projette des sons qui rappellent ceux de l'harmonica. Enfin, il y a Baleine, Moby Dick et Béluga, un immense instrument composé de trois gros tuyaux disposés face à face : un de trois mètres, Béluga, un de cinq mètres, Moby Dick, et un de six mètres, Baleine. L'énorme dimension de cet instrument oblige le musicien à se servir de tout son corps pour en tirer les possibilités musicales.

Le monde de la musique actuelle peut sembler étrange, mais c'est vraiment un monde à découvrir. Un monde qui veut permettre aux musiciens et aux spectateurs d'aller bien au-delà de ce que les grands médias ont l'habitude de diffuser, un monde qui vise à élargir autant que possible nos horizons musicaux.

⬤ Que penses-tu des idées qu'ont eues les musiciens présentés dans ce texte ?

⬤ Aurais-tu des idées pour organiser un concert de musique actuelle ? Lesquelles ?

musique

Yves Beaupré

Après des études en interprétation au clavecin à l'Université de Montréal, Yves Beaupré se consacre à la facture de clavecins : recherche historique, recherche acoustique sur les timbres et les matériaux, etc. Depuis 20 ans, il fabrique dans son atelier montréalais des clavecins, des épinettes et des virginals avec un art et une maîtrise qui lui ont valu une réputation internationale. Ses instruments se retrouvent non seulement dans plusieurs grandes villes canadiennes, mais aussi aux États-Unis et dans plusieurs pays d'Europe. Il a produit une centaine d'instruments jusqu'à maintenant.

La sonorité est le premier élément qui préoccupe Yves Beaupré. Ce travail constant sur le son le dirige inévitablement vers un souci de la qualité sonore et le plaisir de créer...

Fasciné par la prise de son, il s'équipe en 1985 d'un studio maison qui lui permet d'effectuer toutes sortes de recherches sonores. Il y fait des travaux d'analyse de fréquences et de composition musicale. Ces expériences le conduisent rapidement vers la musique électroacoustique. Tout en ayant une activité intense en facture de clavecin, Yves Beaupré consacre de plus en plus de temps à la composition électroacoustique, une passion qui le rapproche enfin de la musique !

En 2001, Yves Beaupré a eu la chance de présenter sur l'étiquette Empreintes Digitales, son premier disque de musique électroacoustique intitulé *Humeur de facteur*. Un deuxième disque est en préparation. En 2002, il a composé la musique du film *Hubert Reeves, conteur d'étoiles*, produit par l'Office national du film du Canada.

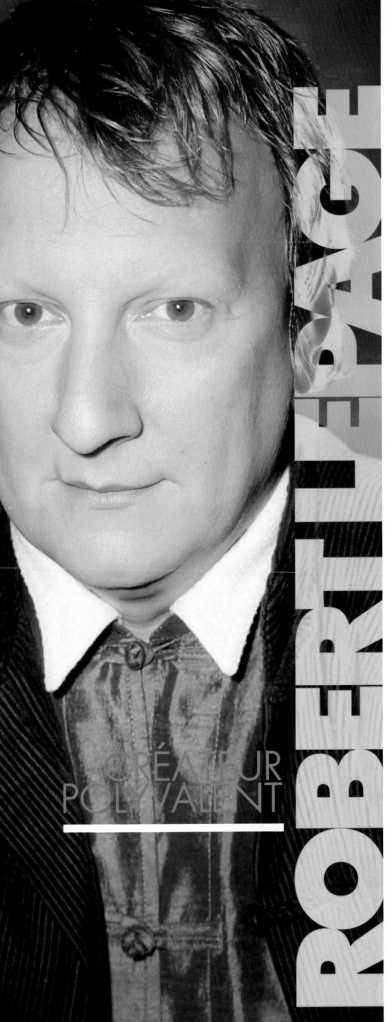

CRÉATEUR
POLYVALENT

ROBERT LEPAGE

Lis ce texte pour connaître un artiste prolifique qui a plusieurs cordes à son arc.

Robert Lepage est né à Québec le 12 septembre 1957. Il a eu son premier contact avec le monde du théâtre par le biais de spectacles rock alternatif, ceux de Genesis notamment. Au secondaire, il a la chance de s'y initier concrètement en suivant un cours d'art. Attiré tout de suite par le travail d'équipe que cela exige, il développe une véritable passion pour les arts de la scène qui le mène, en 1975, au Conservatoire d'art dramatique de Québec.

Une renommée mondiale

Après un bref séjour à Paris où il poursuit son apprentissage de comédien et de metteur en scène, il se joint au Théâtre Repère de Québec, qui en fait rapidement une de ses têtes d'affiche. En 1984, la pièce *Circulations* obtient le prix de la meilleure production canadienne, puis, en 1985, *La trilogie des dragons* lui vaut une reconnaissance internationale, car la pièce est jouée dans plusieurs pays dont la France, les États-Unis, l'Australie et le Mexique. Il produit ensuite son premier spectacle solo, *Vinci*, puis *Le polygraphe*, qui obtient le prix de la meilleure mise en scène à Londres en 1987.

En 1992, il met en scène le *Cycle Shakespeare*, qui remporte un vif succès autant en Europe qu'au Japon. En 1994, c'est à Stockholm, en Suède, qu'il va monter le *Songe d'une nuit d'été* de Shakespeare. Toutes ces productions ont été récompensées par de nombreux prix et honneurs. Aujourd'hui, il est toujours très actif dans les milieux théâtraux du monde entier.

Sa démarche de création

La consécration internationale de Robert Lepage est due en grande partie à ses innovations théâtrales. Pour lui, le théâtre doit en effet faire éclater les formes traditionnelles. C'est pourquoi il n'hésite pas à exploiter ses multiples talents dans ses créations.

Si le théâtre s'inspire souvent de la vie quotidienne, Robert Lepage s'amuse à y injecter une bonne dose de poésie en insérant de nouveaux éléments peu fréquents au théâtre. Dans *La tempête*, par exemple, une comédienne attachée par la taille quittait la scène

Les aiguilles et l'opium.

en marchant sur le mur arrière. Dans cette même pièce, les spectateurs portaient des lunettes spéciales pour mieux visualiser les effets tridimensionnels du spectacle. Dans *Les aiguilles et l'opium*, un puissant éclairage dirigé sur un comédien créait une ombre gigantesque à l'arrière de la scène, ce qui produisait l'effet d'un gros plan au cinéma.

Des spectacles en évolution

Une autre facette caractéristique des méthodes de travail de Robert Lepage, c'est le développement continu d'un spectacle et son remaniement au fil de ses représentations publiques. Cela lui permet d'ajuster ses choix créatifs en fonction de la réception des spectateurs. Par exemple, si, le soir de la première, un spectacle dure trois heures, deux semaines plus tard, il pourra avoir été réduit du tiers. De même, Lepage aura modifié les dialogues et changé certains éléments de mise en scène. Cette méthode permet aux spectateurs de participer eux-mêmes au processus de création, puisque leurs commentaires influent sur les modifications apportées par le metteur en scène.

C'est par l'intermédiaire de la compagnie Ex Machina, créée en 1994 et installée à Québec, que Robert Lepage cherche à explorer de nouvelles avenues. Il y a regroupé des acteurs, des musiciens, des marionnettistes, des sculpteurs et des peintres qui s'efforcent de mettre en commun leurs recherches et leurs créations en vue de donner naissance à des trouvailles étonnantes. De plus, Ex Machina offre au dramaturge et à ses collaborateurs de se replonger dans la culture d'ici et d'y intégrer toutes les influences glanées au cours de leurs nombreux voyages.

D'autres cordes à son arc

Personnalité aux talents multiples, Robert Lepage a saisi toutes les occasions d'élargir son champ d'action. Ainsi, parallèlement à ses productions théâtrales, il a mis en scène en 1993 le spectacle de la tournée *Secret World Tour* du chanteur Peter Gabriel. L'année suivante, il ajoute une autre corde à son arc et devient scénariste et réalisateur. Autre preuve de son sens inné de l'image et de la qualité de son travail, son film *Le confessionnal* reçoit en 1995 trois prix Génies. Depuis, il a réalisé quatre autres films tous bien accueillis par le public et la critique.

Robert Lepage a également mis en scène des opéras (*La damnation de Faust* d'Hector Berlioz et *Le château de Barbe-Bleue* de Béla Bartok) qui ont aussi reçu des commentaires fort élogieux. Comme on le voit, son excellente réputation en tant qu'artiste multidisciplinaire a depuis longtemps franchi les frontières. Et les propositions continuent d'affluer de tous les coins du monde.

La trilogie des dragons.

- Connais-tu certaines œuvres de Robert Lepage ? Si oui, lesquelles ? Et qu'en penses-tu ?

- Quelles œuvres de Lepage aimerais-tu voir ? Explique pourquoi.

LA DANSE MODERNE

Les arts reflètent la société dans laquelle les artistes et leur public évoluent. L'art chorégraphique, c'est-à-dire la danse, n'échappe pas à cette règle. Ainsi, la danse classique du 19e siècle imposait de rigides conventions que l'on respectait à la lettre. Aujourd'hui, deux siècles plus tard, il est encore possible d'assister à une représentation de danse classique conforme aux règles de l'art des origines, mais la diversité des types de spectacles offerts a de quoi surprendre !

Lis ce texte pour savoir si tu te figures bien ce qu'est la danse contemporaine.

Vaslav Nijinski dans *L'après-midi d'un faune*, de Claude Debussy.

Sortir des cadres

Plusieurs penseurs et artistes de la fin du 19e siècle et du début du 20e, danseurs, musiciens et peintres, cherchaient à dépasser les limites imposées par les conventions de la danse classique. On s'est alors mis à déroger aux règles admises pour créer des spectacles innovateurs fondés sur la recherche de l'expression, de la poésie et de la spontanéité. Les plus grands artistes ont participé à cette petite révolution : le danseur Nijinski, le peintre Pablo Picasso qui créa des costumes et des décors, et les compositeurs Debussy, Ravel et Stravinski qui inspirèrent plusieurs chorégraphes.

La communauté artistique connaissait alors une période de véritable ébullition créatrice, allant parfois jusqu'à la révolte. Par exemple, en 1970, la troupe d'Yvonne Rainer interprétait une chorégraphie très provocatrice pour manifester sa désapprobation face à la guerre du Vietnam, une guerre très meurtrière pour les populations civiles. Les danseurs n'avaient pour costume qu'un drapeau des États-Unis...

Une danse contemporaine

Depuis les années 1970, on emploie l'expression «danse contemporaine» pour désigner le courant issu de la danse moderne qui déborde des cadres académiques. Il est très difficile de définir clairement ce type de danse qui se caractérise par son éclatement, son chaos et l'infinie diversité de ses sources d'inspiration et de ses modes d'expression.

La danse contemporaine s'empare de tout : la danse classique, la danse folklorique, le sport, le cirque, la mode, la poésie, le théâtre, l'humour, les arts plastiques... Elle utilise souvent la technologie : projections de diapositives ou de vidéos sur des écrans, jeux d'ombres et de lumière, cédéroms. Et elle ne s'interdit rien. Par exemple, on va jusqu'à utiliser des capteurs posés sur le corps pour donner vie à des danseurs virtuels. Et la musique est aussi extrêmement variée : cacophonie urbaine, musique tribale, silence total qui ne laisse percevoir que le souffle des artistes. On prend plaisir à mêler les époques, les traditions et les styles. Les chorégraphes et les danseurs explorent de multiples avenues, aucune limite n'entravant la créativité dans ce domaine.

Sur les parois des grottes, parmi les représentations d'animaux, on a trouvé une représentation de la danse datant de 14 000 ans. Il s'agirait d'une des premières images des danses rituelles sacrées des chasseurs préhistoriques.

La place du public

La plupart des chorégraphes veulent avant tout faire passer des émotions, mais aussi établir un dialogue avec le public. D'ailleurs, les troupes de danse actuelle invitent souvent les spectateurs à participer activement au processus de création lui-même en les conviant à des répétitions ou à des présentations d'un spectacle non achevé. Après la présentation ou la répétition, il y a une période de discussion ouverte. Chorégraphes et danseurs peuvent alors demander aux spectateurs de leur proposer des mouvements ou des enchaînements de mouvements.

Ce dialogue avec le public vise à faire prendre conscience à chacun de la place du corps dans notre mode de vie, de sa représentation et de sa transformation, en faisant des liens avec tout ce qui compose notre quotidien.

Certains lieux de création et de représentation, comme l'Agora de la danse à Montréal, offrent au public la possibilité de participer à des activités multimédias, alliant danse et dessin, danse et écriture, et même danse et gastronomie ! Compte tenu de sa richesse, de sa diversité et de sa grande créativité, il n'est pas étonnant que l'art chorégraphique plaise à un public de plus en plus large partout dans le monde !

Rouge, une chorégraphie de Jane Mappin.

- As-tu déjà assisté à un spectacle de danse contemporaine ? Raconte.

- Quelles avenues aimerais-tu explorer si tu créais une chorégraphie ?

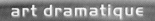

Isadora Duncan (1878-1927)

Isadora Duncan, une des pionnières de la danse moderne, fait partie des artistes du début du 20ᵉ siècle qui ont carrément révolutionné la scène. Son style tout à fait personnel se caractérisait par une grande liberté de mouvements dévoilant un tempérament fougueux. Sans plus attendre, après avoir passé quelque temps avec la troupe de Loïe Fuller, une Américaine inventive comme elle, Duncan fonde sa propre école à Paris. Pieds nus et vêtue de voiles transparents, tandis que les danseuses de l'époque portaient corset et tutu, la danseuse qui s'inspirait principalement de la nature et de la civilisation grecque antique se moquait des conventions et de la technique. Prônant la spontanéité, Isadora Duncan encourageait ses élèves à improviser des gestes pour se libérer et exprimer leurs sentiments. Danser sa vie, voilà ce à quoi aspirait cette grande créatrice.

Hélène Matte, artiste multidisciplinaire

Lis ce texte pour connaître une jeune artiste de la relève qui fait flèche de tout bois.

La jeune artiste Hélène Matte s'intéresse à tous les arts : arts visuels, théâtre, poésie, cinéma, performance, rédaction; elle fait aussi de la recherche didactique et de la coordination. Créative et curieuse, elle a organisé plusieurs événements artistiques et elle est toujours prête à s'adapter à de nouveaux contextes artistiques. Elle a déjà participé à de nombreux récitals de poésie et de performances à travers la province.

De la poésie avant toute chose

Hélène Matte se considère d'abord comme une poète. Sa poésie est une poésie de paroles, mais aussi une poésie du mot-matière et de l'image-geste intégrant les arts plastiques et le mouvement corporel. Le corps est très important dans l'art de la poète, qui a d'abord acquis un statut d'artiste professionnelle par la performance. Pour l'artiste, l'action du corps doit être intégrée à celle du dire. Ainsi, qu'elle soit donnée en direct ou préenregistrée, la voix prend directement part au jeu de la communication. Elle raconte, elle rythme, elle dénonce, elle questionne. La poésie d'Hélène Matte est très orale, très sonore, de sorte que la parole prime le plus souvent sur le texte.

Poésie et performance

On peut décrire la performance comme un art du mouvement, un art du vivant, un art de l'espace et du temps. C'est une forme d'art très vaste qui s'inspire de plusieurs disciplines et techniques : poésie, théâtre, danse, peinture, photographie et projections de toutes sortes. La performance traite souvent des préoccupations de la culture actuelle : l'éducation, le racisme, le multiculturalisme, la place de la femme dans la société, etc. Mais la performance est une forme d'expression artistique aux formes si variées qu'elle reste très difficile à définir.

Dans une de ses performances, Hélène Matte, la main sur les yeux, lit un poème sur la mort, dans une pièce sombre. Dans la main gauche, elle tient une « vanité », c'est-à-dire une nature morte rappelant la fragilité de la vie. La jambe droite blessée d'Hélène Matte se met à trembler pendant la performance. Ces limites du corps blessé de l'artiste, non prévues, viennent à leur tour symboliser le message global de la performance.

Une autre performance d'Hélène Matte, sur le thème de l'identité cette fois. Une installation de trois coffres. Un poème gestuel appuyé par des objets qui passent d'un coffre à l'autre.

Une performance se produit là, dans l'instant. Pour qu'il y ait une performance, il doit y avoir un public. Il faut que l'artiste puisse interagir avec le public, le voir, lui parler, le toucher.

Combiner, mélanger...

Explorer et combiner les différentes formes artistiques est un réflexe tout naturel chez Hélène Matte. En voyage, elle ne traîne jamais d'appareil photo. Elle croque plutôt sur le vif dans un carnet des impressions instantanées : le visage d'un vieil homme dans un train, un chien dans une ruelle, un toit en ardoise de Marseille. Elle a aussi entrepris une série de croquis représentant des musiciens en spectacle, son trait de crayon se laissant guider par le rythme de la musique. Elle vise dans ces séries de dessins à croquer l'instant sur le vif.

Un spectacle multidisciplinaire

Hélène Matte a réalisé un ambitieux projet multidisciplinaire qui intégrait plusieurs dimensions. D'abord, une série de chansons, chansonnettes et mélopées de forme assez classique qui traitent de thèmes sentimentaux, et plus particulièrement du corps féminin. Ensuite, une série de poèmes sur des sujets sociaux. Le tout accompagné d'une musique électroacoustique composée par un de ses amis. Cela a donné lieu à un grand spectacle multidisciplinaire intégrant une installation et une vidéo.

↑ L'artiste devant une série d'estampes. Elle a étudié l'art de l'estampe à l'Université Laval et à Marseille. Hélène Matte se sert beaucoup de l'ordinateur pour grossir des détails, faire des fondus ou créer des effets particuliers.

→ Félix-Antoine Bérubé, l'artiste qui a composé la musique électroacoustique du spectacle multidisciplinaire d'Hélène Matte.

Comme d'autres artistes multidisciplinaires, Hélène Matte travaille à la croisée des chemins des arts graphiques, de la poésie, de la musique, de la vidéo et du jeu. L'acte de création est pour elle une expérience très ouverte fondée sur le mélange des genres et des langages artistiques.

⬤ Quel aspect du travail d'Hélène Matte t'intéresse le plus ? Pourquoi ?

2/3 ETAT 4

Boire et déboire
ou
Les amitiés décomposées

Lema 03

Les fonctions de l'adjectif

● Dans un **groupe du nom**, l'**adjectif** a la fonction de **complément du nom**.

compléments du nom
oiseaux

compléments du nom
bêtes

Sur ses toiles, de grands oiseaux bizarres et des bêtes étranges, tachetées, rayées et multicolores

s'entassent et se déploient.

● Dans un **groupe du verbe**, l'**adjectif** employé avec le verbe **être** a la fonction d'**attribut du sujet**.

attributs du sujet
Sa peinture

attribut du sujet
Ses tableaux

Sa peinture est joyeuse, vive, fantaisiste et humoristique. Ses tableaux sont figuratifs.

● Les adjectifs employés avec des verbes qu'on peut remplacer par le verbe **être**, comme **paraître**, **sembler**, **demeurer**, **devenir** ou **rester**, ont aussi la fonction d'**attribut du sujet**.

attribut du sujet
La petite fromagerie

La petite fromagerie devenait tout à coup prospère.
(était)

attribut du sujet
La musique actuelle

La musique actuelle peut sembler étrange.
(être)

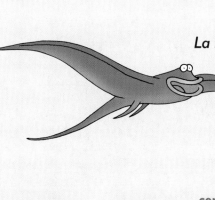

> Comme tous les adjectifs,
> les **adjectifs participes** ont
> la fonction de **complément
> du nom** ou d'**attribut du sujet**.

complément du nom
objets

Des objets recyclés ont accédé au rang d'œuvres d'art.

attribut du sujet
L'exposition

L'exposition est terminée.

Jouer avec les mots

Les calligrammes

Un **calligramme** est un poème écrit de façon à former un dessin qui a rapport au sujet du poème. Par exemple, le calligramme *Cœur* représente à la fois un cœur et une flamme, illustrant ainsi de façon amusante la comparaison évoquée dans ce poème.

Les allitérations et les assonances

⬤ Une **allitération** est une répétition de **sons consonnes** dans des mots rapprochés.

Ton thé t'a-t-il ôté ta toux ?

⬤ Une **assonance** est une répétition de **sons voyelles** dans des mots rapprochés.

Métro, boulot, dodo : pas trop rigolo !

Les mots-valises

⬤ Un **mot-valise** est un mot créé par la réunion du début d'un mot et de la fin d'un autre.

clavier + *bavarder* = *clavarder*

caméra + *magnétoscope* = *caméscope*

⬤ Beaucoup de mots-valises sont inventés pour produire des effets poétiques ou comiques, ou pour désigner des animaux imaginaires.

foule + *multitude* = *foultitude* (Victor Hugo, *Les misérables*)

canard + *escargot* = *canargot* (animal moitié canard, moitié escargot, ou canard se déplaçant à la vitesse de l'escargot !)

⬤ Quelquefois, les mots réunis ont une partie commune :

canard + *escargot* = *canargot*

Quelques suffixes et leur sens

Suffixes et exemples	Sens
-able → dirig**e**able, port**able** -ible → divis**ible**, vis**ible**	Signifie « qui peut être » dirigé, porté divisé, vu
-er / -ère → boulang**er**, berg**ère** -ier / -ière → pâtiss**ier**, polici**ère** -eur / -euse → chant**eur**, coiff**euse** -ien / -ienne → pharmac**ien**, music**ienne** -teur / -trice → correc**teur**, direc**trice** -ateur / -atrice → réalis**ateur**, anim**atrice**	Indique une personne qui exerce un métier
-al / -ale → post**al**, élector**ale** -ial / -iale → provinc**ial**, spat**iale** -ique → géograph**ique**	Signifie « qui se rapporte à » la poste, aux élections la province, l'espace la géographie
-ade → baign**ade**, gliss**ade** -age → bavard**age**, repass**age** -ée → mont**ée**, pes**ée** -ment → déménage**ment** -tion → inspec**tion** -ation → anim**ation** -ition → répét**ition**	Indique l'action de se baigner, glisser bavarder, repasser monter, peser déménager inspecter animer répéter
-ain / -aine → Albert**ain**, Maroc**aine** -ais / -aise → Montréal**ais**, Portug**aise** -ien / -ienne → Canad**ien**, Haït**ienne** -ois / -oise → Toront**ois**, Québéc**oise**	Signifie « qui vient de » l'Alberta, du Maroc Montréal, du Portugal du Canada, d'Haïti Toronto, du Québec
-eur / -euse → collectionn**eur**, nag**euse** -iste → flût**iste**, parachut**iste**	Indique une personne qui exerce une activité
-eur / -euse → vol**eur**, trich**euse** -eux / -euse → peur**eux**, chaleur**euse** -ieux / -ieuse → audac**ieux**, ingén**ieuse** -té → honnête**té**, lâche**té**	Indique une qualité ou un défaut
-ment → lente**ment**, rapide**ment**	Indique une manière
-isme → vandal**isme**, capital**isme**	Indique un phénomène, une doctrine
-ique → cylindr**ique**, frigorif**ique**	Indique une caractéristique

- La plupart des mots formés par l'addition d'un suffixe ne sont pas de la même classe que le mot de base qui a servi à leur formation.

  beau (**adjectif**) → *beau**té*** (**nom**)

  danger (**nom**) → *danger**eux*** (**adjectif**)

  nettoyer (**verbe**) → *nettoy**age*** (**nom**)

- Un même suffixe peut avoir plus d'un sens. Par exemple, le suffixe **-ment** peut indiquer :

  une action → *commence**ment***

  une manière → *simple**ment***

Le verbe voir

INDICATIF		
Présent	**Imparfait**	**Futur simple**
Je vois	Je voyais	Je verrai
Tu vois	Tu voyais	Tu verras
Il / elle voit	Il / elle voyait	Il / elle verra
Nous voyons	Nous voyions	Nous verrons
Vous voyez	Vous voyiez	Vous verrez
Ils / elles voient	Ils / elles voyaient	Ils / elles verront
Passé composé	**Passé simple**	**Conditionnel présent**
J'ai vu		Je verrais
Tu as vu		Tu verrais
Il / elle a vu	Il / elle vit	Il / elle verrait
Nous avons vu		Nous verrions
Vous avez vu		Vous verriez
Ils / elles ont vu	Ils / elles virent	Ils / elles verraient

IMPÉRATIF	SUBJONCTIF	PARTICIPE	
Présent	**Présent**	**Présent**	**Passé**
	Que je voie	Voyant	Vu
Vois	Que tu voies		Vue
	Qu'il / elle voie		Vus
Voyons	Que nous voyions		Vues
Voyez	Que vous voyiez		
	Qu'ils / elles voient		

Le verbe savoir

INDICATIF		
Présent	**Imparfait**	**Futur simple**
Je sais	Je savais	Je saurai
Tu sais	Tu savais	Tu sauras
Il / elle sait	Il / elle savait	Il / elle saura
Nous savons	Nous savions	Nous saurons
Vous savez	Vous saviez	Vous saurez
Ils / elles savent	Ils / elles savaient	Ils / elles sauront
Passé composé	**Passé simple**	**Conditionnel présent**
J'ai su		Je saurais
Tu as su		Tu saurais
Il / elle a su	Il / elle sut	Il / elle saurait
Nous avons su		Nous saurions
Vous avez su		Vous sauriez
Ils / elles ont su	Ils / elles surent	Ils / elles sauraient

IMPÉRATIF	SUBJONCTIF	PARTICIPE	
Présent	**Présent**	**Présent**	**Passé**
	Que je sache	Sachant	Su
Sache	Que tu saches		Sue
	Qu'il / elle sache		Sus
Sachons	Que nous sachions		Sues
Sachez	Que vous sachiez		
	Qu'ils / elles sachent		

Du figuratif au non-figuratif

Depuis très longtemps, les humains font des dessins, des sculptures et des peintures pour reproduire la nature. Mais ils l'ont fait de façons très différentes selon les époques.

L'art rupestre

Des artistes primitifs ont fait de magnifiques dessins d'animaux dans des grottes. Ces dessins, qui datent de 15 000 ans, avaient sans doute une signification religieuse ou magique. Peindre un objet, pour ces artistes primitifs, c'était acquérir un pouvoir sur lui. L'artiste primitif ne copie pas la nature. Il la représente avec des formes simples, de façon très stylisée.

L'art égyptien

Les artistes égyptiens ne copient pas fidèlement la nature. Ils ne représentent pas les objets comme ils les voient, mais comme ils les connaissent. Le corps et la tête sont vus de profil, mais l'œil est vu de face. Les deux pieds sont vus de l'intérieur. C'est pourquoi les personnages ont l'air un peu tordus. Les artistes égyptiens font leurs dessins en respectant un code, une manière typique.

L'art grec

L'art grec veut représenter un idéal de beauté du corps. Le mouvement du *Discobole* de Myron a l'air tellement naturel que des athlètes modernes ont voulu le prendre pour modèle. Mais ce n'était pas vraiment possible. Comme les Égyptiens, Myron présente le torse de face et les jambes et les bras de côté. Ce n'est donc pas une exacte copie du corps humain dans l'espace.

L'art du Moyen Âge

L'art du Moyen Âge illustre des histoires religieuses. Les figures sont raides et figées comme celles de l'art égyptien. Les artistes de cette époque se soucient peu de représenter la réalité. Ils combinent des symboles pour exprimer de façon très intense un monde surnaturel.

La Renaissance

En découvrant les lois de la perspective, les artistes de la Renaissance font des œuvres qui ont beaucoup de réalisme et de profondeur. Chez de grands maîtres comme Léonard de Vinci, les regards sont expressifs, les gestes sont naturels et l'anatomie des personnages est rendue de façon très fidèle. Ces peintres s'efforcent de reproduire la réalité le plus fidèlement possible.

Les 18e et 19e siècles

Aux 18e et 19e siècles, beaucoup d'artistes s'inspirent de l'art antique grec et romain. Ainsi, le peintre Hubert Robert (1733-1808) peint des ruines imaginaires ou regroupe de façon artificielle des monuments d'époques différentes. Il est plus soucieux de l'harmonie de la composition que de la réalité historique. Mais les personnages et les paysages des peintres de cette époque sont présentés de façon très réaliste. Certains portraits sont si détaillés et précis qu'ils ressemblent à des photos.

Léonard de Vinci, *La Vierge aux rochers*.

Hubert Robert, *La balançoire*.

Horace Vernet, *Bataille de Wagram*.

La révolution impressionniste

Dans les années 1870, un groupe de peintres attache une grande importance à la lumière naturelle. Ils peignent par petites touches de couleurs pour suggérer des impressions, pour capter l'instant. Au début, leurs tableaux choquent beaucoup le public et les critiques d'art. Mais plusieurs peintres impressionnistes deviennent ensuite très célèbres.

Les peintres impressionnistes rejetaient les règles classiques de composition, les faux effets d'ombres, la correction du dessin et les sujets nobles imposés dans les écoles de beaux-arts.

Un paysage de Camille Pissarro.

Édouard Manet, *Un bar aux Folies-Bergère.*

Claude Morin, *Naturals.*

L'art moderne

Avec le développement de la photographie, les peintres modernes ont dû redéfinir leur art, car la photo était plus efficace pour fixer un visage ou conserver le souvenir d'un événement. Les artistes, qui ont conquis la liberté artistique, font toutes sortes de recherches. C'est ainsi que plusieurs peintres en sont venus à faire des tableaux qui ne présentaient pas de sujets identifiables. On dit que leur art est de l'art abstrait, ou de l'art non figuratif.

PANNE OU MALADIE ?

Pour toi, la vie

Je me souviens de ma planète,
de sa forêt amazonienne
aux sons de flûtes, aux torrents fous,
jusqu'aux genoux des grandes plaines
déversant leurs petits cailloux...
Et du haut des sentiers de crêtes,
je m'envolais comme les oiseaux,
pour une étoile dans ta tête
j'attrapais un poisson dans l'eau,
un papillon sur tes paupières...
Souviens-toi qui, après l'orage,
frappait tes veines jusqu'au cœur
pour partager comme un mirage
l'arc-en-ciel des cent mille fleurs
et célébrer chaque brin d'herbe...
Je faisais la pluie et le vent,
agitais l'arbre dans ta tête,
soufflais le sable entre tes doigts,
rampais dans l'or de tous les temps,
longtemps avant que tu y sois...
Je suis la vie, la vie sans âge
fragile et fière entre tes bras
qui fredonnais à l'infini
sous le ciel de tous les partages
cette chanson : pour toi, la vie...

Armelle CHITRIT

Les céréales de base dans le monde

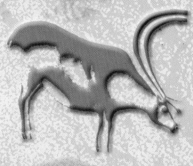

Tu sais quelles sont les céréales qui sont les plus cultivées ? Ce texte te l'apprendra.

La quête de nourriture a toujours été la principale préoccupation de l'être humain. L'homme et la femme préhistoriques assuraient difficilement leur survie par la chasse, la pêche et la cueillette d'aliments comestibles. Ces chasseurs-cueilleurs de l'âge de pierre parcouraient de grandes distances pour suivre la migration des grands troupeaux. Ils menaient une vie rude, pleine de dangers, et devaient dans certaines régions subir les climats extrêmes des périodes de glaciation.

Il semble que la situation de ces chasseurs-cueilleurs évolua vers la fin de la dernière période glacière, il y a environ 10 000 ans, grâce à un réchauffement climatique qui a favorisé un mode de vie sédentaire. Grâce aux connaissances qu'ils avaient acquises durant des millénaires sur les mœurs des animaux et le cycle de vie des végétaux, les êtres humains préhistoriques ont appris à domestiquer les animaux qu'ils chassaient pour se nourrir et se vêtir, mais aussi pour obtenir une force de travail permettant de tirer des charges et de travailler la terre.

Ils avaient aussi acquis de bonnes connaissances botaniques, principalement les femmes. Cela leur a permis de reconnaître les plantes les plus utiles à la survie, et chaque société développa alors une culture qui allait constituer son alimentation de base. Nos chasseurs-cueilleurs préhistoriques sont alors devenus agriculteurs.

Le blé, la céréale la plus répandue sur la planète

Le blé, une céréale de la famille des graminées, est cultivé depuis les temps préhistoriques en Europe, au Proche-Orient, en Égypte et en Palestine. Il s'adapte à une grande variété de climats, des régions arctiques jusqu'aux tropiques. Les premières cultures de blé sont apparues en Mésopotamie au 7e siècle avant J.-C.

On distingue deux grandes variétés de blé : le blé dur et le blé tendre. Le blé dur, qui sert principalement aux semoules et aux pâtes alimentaires, est surtout cultivé autour du bassin méditerranéen. Ainsi, le couscous, ou semoule de blé, est l'aliment de base des pays d'Afrique du Nord, et les fameuses pâtes alimentaires, celui de l'Italie.

Le blé tendre, qu'on cultive dans des régions plus nordiques, est souvent appelé le blé boulanger. On en fait de la farine, élément important de l'alimentation occidentale, qui sert notamment à fabriquer le pain. On croit que les premiers procédés de panification ont été développés par les Égyptiens entre 2000 et 3000 ans avant J.-C. Perfectionnés par les Hébreux et les Grecs, ils ont ensuite été transmis par les Romains dans toute l'Europe.

Le blé, comme les autres céréales, contient peu de protéines et peu de vitamines A, C et D, mais il fournit des minéraux et les vitamines du groupe B : thiamine, riboflavine et niacine.

Au deuxième rang, le riz

Le riz est une céréale qui pousse sur des terres humides, les rizières, et dans des climats chauds. Et c'est une céréale que l'on cultive depuis très longtemps. En effet, on a trouvé des traces de culture en Chine et en Thaïlande remontant à plus de 5000 ans. Même si cette céréale est aujourd'hui cultivée aussi en Afrique, en Amérique et dans le sud de l'Europe, le riz reste associé au continent asiatique dont il est depuis très longtemps l'aliment de base.

Le riz est généralement consommé sous forme de riz blanc, un riz auquel on a retiré sa pellicule de son. Cette pellicule contenant des vitamines indispensables à l'organisme, un régime limité au riz blanc entraînerait des maladies de carence alimentaire comme le béribéri. C'est pourquoi on le consomme de plus en plus en gardant son enveloppe riche en vitamines B, E et K. Contrairement aux autres céréales, le riz est rarement consommé sous forme de pain. Il est bouilli et aromatisé selon les coutumes régionales, et il est le plus souvent accompagné de poisson, de porc ou de légumes.

Le riz a une grande importance puisqu'il est l'aliment de base de plus de la moitié de la population humaine. Ses principaux producteurs sont la Chine, l'Inde et l'Indonésie. Sur le plan nutritif, le riz est assez faible en protéines. Le riz entier contient toutefois une bonne quantité de vitamine B.

Le maïs, la troisième grande céréale

Le maïs est originaire d'Amérique centrale et d'Amérique du Sud. On a trouvé des preuves archéologiques de sa culture au Mexique datant d'il y a 4600 ans. Le maïs a constitué la base alimentaire des peuples de ces régions bien avant la venue des explorateurs européens, si l'on exclut la région des Andes où l'on cultivait la pomme de terre et la tomate.

Comme aliment de base, le maïs est surtout consommé sous forme de minces galettes qu'on garnit de viande, de légumes ou de fromage. On le consomme aussi sous forme de farine bouillie, comme la *polenta* en Italie du Nord.

Le maïs est apprécié mondialement pour son sirop et son huile. Le maïs fournit une bonne source d'énergie, mais il est assez pauvre en protéines. Un régime à base de maïs doit donc être complété par des aliments protéiques comme la viande, le lait et les œufs.

Les États-Unis en sont le premier producteur avec plus de 40 % de la production mondiale. Cette culture est concentrée dans une région du Middle West nommée Corn Belt.

Voici à quoi ressemblait l'ancêtre des épis de maïs que nous cultivons aujourd'hui. Des archéologues ont trouvé dans une vallée du Mexique des épis de maïs beaucoup plus petits que ceux que nous connaissons.

Du maïs soufflé.

L'avenir alimentaire de la planète

Au 21e siècle, le problème de l'alimentation est loin d'être résolu. Comment arriverons-nous à combler les besoins alimentaires d'une planète surpeuplée et menacée par la pollution, la sécheresse et le manque d'eau douce?

Certains chercheurs se penchent sur les algues des océans, une source inépuisable de vitamines et de sels minéraux. D'autres scientifiques visent à améliorer les rendements agricoles en produisant des plantes génétiquement modifiées. D'autres enfin cherchent des substituts aux viandes, trop coûteuses à produire, en remplaçant les protéines animales par les protéines végétales du soja notamment.

Le séchage des algues.

Quelle sera la nourriture de l'avenir? Nul ne peut le savoir avec certitude. Mais il est sûr que l'alimentation humaine restera un sujet d'intérêt primordial pour les omnivores que nous sommes. Depuis les origines, la nourriture a été la préoccupation la plus envahissante pour les humains. Il y a fort à parier qu'elle le sera encore longtemps.

⬤ Quelles sont tes hypothèses sur les aliments de l'avenir? Justifie ta réponse.

On peut encore être heureux

Quand l'hiver est vraiment fini
Et que les oiseaux font leur nid
On dit adieu aux jours moroses
Un rayon de soleil se pose
Sur les branches du laurier rose.

Une fleur à la boutonnière
Et de la joie au fond des yeux
Quand vient le printemps sur la terre
On peut encore être heureux.

Dans le ciel les étoiles brillent
La nuit descend douce et tranquille
Peut-on rester à la maison
Quand revient la belle saison
De l'amour et des chansons.

Une fleur à la boutonnière
Et de la joie au fond des yeux
Quand vient le printemps sur la terre
On peut encore être heureux.

Un joyeux pique-nique au grand air
Près d'un lac sous un ciel très bleu
Ou nager dans une rivière
Chanter ensemble autour du feu.

Une fleur à la boutonnière
Et de l'espoir au fond du cœur
Tant que l'homme vivra sur la terre
Il pourra faire son bonheur.

Louis-Paul BÉGUIN

Depuis la tendre enfance, Éditions Janus.

Les besoins alimentaires quotidiens

Lis ce texte pour bien savoir de quoi ton corps a besoin pour être en bonne santé.

Le régime alimentaire de l'être humain doit remplir deux fonctions fondamentales :

1 compenser l'énergie utilisée par les fonctions de base de l'organisme, comme la respiration, la circulation sanguine, la croissance et l'activité physique;

2 assurer la construction et la restauration des tissus comme les os, les cartilages et les muscles.

Une alimentation équilibrée doit donc comporter de l'énergie calorique, une énergie calculée en kilojoules, des vitamines, essentielles au renouvellement des cellules, des sels minéraux, indispensables à la formation du squelette et, enfin, des oligo-éléments comme le fer, le fluor et l'iode.

Des jeunes de ton âge devraient absorber chaque jour 25 g de protéines, 1,2 g de calcium et 12 mg de fer. Les rations quotidiennes recommandées sont les suivantes :

- 12% de protides, que l'on trouve dans la viande, le poisson et les noix, mais aussi dans le lait et le fromage, ces deux derniers aliments fournissant par ailleurs un important apport en calcium;

- 30% de lipides, c'est-à-dire de matières grasses, de préférence d'origine végétale;

- de 32 à 58% de glucides, en privilégiant comme source glucidique le pain, car il contient des fibres essentielles à la digestion.

Ces aliments devraient être répartis entre les trois repas : 25% au petit déjeuner, 45% au dîner et 30% au souper.

Bonne nouvelle, le chocolat est un excellent apport nutritif qui contient des vitamines et des minéraux. Il doit cependant contenir plus de 32% de cacao et le moins possible de lait et de sucre. On dit qu'une collation de chocolat noir et de pain brun est idéale pour les athlètes.

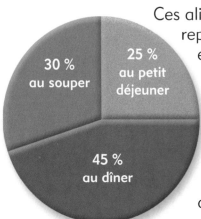

30 % au souper

25 % au petit déjeuner

45 % au dîner

Que doit-on boire avec tout ça ? De l'eau, l'aliment de base essentiel de l'être humain. Quant au lait, il devrait être pris entre les repas, jamais pendant. Les jus sucrés et les boissons gazeuses devraient être consommés avec parcimonie, et idéalement bannis de notre alimentation.

Les carences alimentaires

Les carences en vitamines et en minéraux peuvent affecter gravement le développement physique et psychologique des adolescents. Celles-ci sont parfois causées par des troubles du comportement alimentaire. L'anorexie, par exemple, est un trouble qui affecte près de 2 % des jeunes adolescentes. Ce refus de s'alimenter découle souvent d'une image de soi insatisfaisante ou d'un malaise psychologique plus profond qui exige une intervention rapide. Une sous-alimentation prolongée peut entraîner des déficiences irréversibles.

La boulimie, contrairement à l'anorexie, est une sorte de peur du vide qui provoque un besoin irrépressible de manger. On estime que près de 30 % des adolescentes connaissent des périodes de boulimie, un problème qui doit aussi être surveillé de près.

De bonnes habitudes alimentaires

Avoir une bonne alimentation, c'est bien plus facile si on suit les principes généraux suivants : ne jamais sauter le déjeuner, manger lentement et avec plaisir, augmenter ses rations de fruits et de légumes, avoir une alimentation variée et faire de l'exercice.

Pour les collations, on a avantage à choisir des aliments sains et nourrissants : des légumes frais, des fruits frais ou séchés, des bagels, des barres de céréales, du yogourt écrémé, des galettes de riz ou de maïs, etc.

Bien manger et être actif, voilà les deux grands principes à appliquer pour être bien dans sa peau.

Après cette lecture, crois-tu que tu devrais modifier certaines de tes habitudes alimentaires ? Lesquelles ?

Petits maux, petits remèdes

Sais-tu comment soigner les légers maux physiques les plus courants ? Lis ce texte pour t'en assurer.

La vie nous expose à une foule d'accidents plus ou moins graves. Il est essentiel de posséder des informations de base pour prévenir ou soigner les malaises et les blessures. Voici les accidents les plus fréquents.

Brûlures

Que faire en cas de brûlure légère ? Immerger la partie atteinte dans l'eau pendant 10 minutes pour réduire la douleur. Couvrir ensuite avec un pansement qu'on doit garder humide. Ne jamais appliquer de corps gras.

Épuisement causé par la chaleur

Moins grave que l'insolation, qui peut faire grimper la température du corps à 46 °C, l'épuisement causé par la chaleur doit cependant être rapidement soigné. On le reconnaît aux symptômes suivants : étourdissements, peau moite, pouls rapide, pâleur, maux de tête, nausées et vomissements. Que faire dans ce cas ? Trouver un endroit frais. Rafraîchir la personne avec des compresses d'eau froide et une ventilation. Lui faire boire de l'eau en petites quantités.

Coup de soleil léger

Appliquer des compresses fraîches ou encore faire prendre un bain additionné de flocons d'avoine ou d'une demi-tasse de bicarbonate de soude. Éviter les lubrifiants comme la vaseline qui ne feraient qu'empirer les choses en retenant la chaleur. Si la douleur est insupportable ou si de nombreuses cloques apparaissent, consulter un ou une médecin.

Coupures superficielles

Les coupures peuvent être facilement soignées si aucun nerf ni aucun vaisseau sanguin n'est atteint, et si les deux bords de la plaie se rapprochent facilement. On peut alors la traiter en la nettoyant soigneusement avec de l'eau savonneuse, de l'eau oxygénée ou un antiseptique. Une fois la plaie parfaitement propre, on peut en rapprocher les bords et les faire tenir ensemble avec un pansement adhésif. En cas de signes d'infection, de pus, de rougeurs ou d'enflure importante, consulter un ou une médecin.

Éraflures et écorchures

On appelle écorchure la perte de la couche superficielle de la peau à la suite d'une éraflure. Même si l'écorchure suinte abondamment, il convient de la désinfecter délicatement au moyen d'un savon léger et de la protéger des saletés en la couvrant d'un pansement doux. Éviter absolument d'appliquer de l'alcool. Cela ne fera qu'irriter la blessure en brûlant les tissus et raviver la douleur.

Herbe à puce

Cette plante assez commune dans nos régions peut provoquer des irritations cutanées chez les personnes qui y sont allergiques. Ces irritations sont causées par une huile contenue dans la plante, le toxicodendrol. Les symptômes, qui apparaissent généralement deux jours après le contact cutané, se manifestent par des rougeurs, des démangeaisons et de petites bulles. Ces bulles contiennent un liquide dont l'écoulement peut propager l'irritation à d'autres parties du corps ou à d'autres personnes. Pour limiter les dégâts, il faut procéder à un vigoureux lavage immédiatement après le contact avec la plante. Une eau savonneuse additionnée d'un peu d'eau de Javel est fortement recommandée dans ce cas.

Engelures

Les engelures sont des lésions de la peau provoquées par le froid. Elles touchent le plus souvent le visage et les extrémités du corps. La personne qui a une engelure doit être installée dans un endroit chaud ou du moins à l'abri du vent. Les régions atteintes doivent être réchauffées graduellement en y appliquant les mains ou des compresses tièdes. Contrairement à une idée bien répandue, il ne faut jamais frotter les parties gelées avec de la neige ou de l'eau froide.

Mal de tête

Les maux de tête qui ne sont pas associés à des symptômes de grippe, comme la fièvre et des raideurs musculaires, sont souvent causés par le stress et le surmenage. On peut alors y remédier en s'accordant un temps de repos dans un endroit sombre, tête bien appuyée et yeux fermés. Un massage du crâne et des tempes peut aussi apporter un certain soulagement.

Poussière dans l'œil

Une poussière ou tout autre corps étranger dans l'œil ne sont pas si aisés à repérer. La meilleure façon de s'assurer de leur présence et d'y remédier est d'immerger le visage sous l'eau et de cligner de l'œil énergiquement. Cette méthode, qui est presque infaillible, a aussi l'avantage de limiter les risques d'infection. Si cela ne fonctionne pas, il est préférable de consulter un ou une médecin. Ceux-ci possèdent les instruments adéquats pour repérer et retirer s'il y a lieu l'agent irritant.

Saignement de nez

Les saignements de nez sont produits par la rupture de petits vaisseaux sanguins à l'avant du nez, au niveau du cartilage. En cas de saignement, faire asseoir la personne la tête penchée en avant, afin qu'il n'y ait pas de risque d'étouffement, et libérer son cou. Lui demander de respirer par la bouche. Exercer ensuite une pression à la base du nez, juste sous la partie osseuse, pendant au moins 5 minutes. Ce laps de temps devrait être suffisant pour permettre la formation d'un caillot qui arrêtera l'écoulement.

Ne perdez pas le fil

Adapté d'un récit de Stephen LEACOCK

Stephen Leacock (1869-1944) est un des écrivains canadiens les plus célèbres. Au début du 20e siècle, ses textes pleins d'humour ont été lus dans le monde entier. L'auteur écrit ici un texte comique sur la médecine et les médecins.

Comment être médecin

Sans aucun doute, l'avancement de la science est pure merveille. On a raison d'en être fier. Par exemple, quand je parle à quelqu'un — c'est-à-dire à une personne plus ignorante que moi — de l'incroyable essor de l'Électricité, j'ai l'impression d'en être moi-même responsable. Quant à la linotype, à l'aéroplane, à l'aspirateur, eh bien, je ne suis pas sûr de ne pas en être l'inventeur. À mon avis, tout homme généreux éprouve ce sentiment.

Néanmoins, ce que je veux aborder, c'est le progrès de la Médecine. Voilà qui est vraiment extraordinaire. Quand on pense qu'il y a cent ans à peine il n'existait ni bacilles ni empoisonnement par les ptomaïnes, ni diphtéries, ni appendicite. La rage était à peine connue. Toutes ces connaissances nouvelles, nous les devons à la science médicale. Même le psoriasis, les oreillons et la trypanosomiase n'étaient connus que d'une élite.

Examinons bien l'avancement de la Science du point de vue pratique. Il y a à peine un siècle, les médecins croyaient guérir la fièvre par la saignée; il y a seulement soixante-dix ans, ils utilisaient des sédatifs; il y a trente ans, ils prescrivaient une diète et l'application de glace. Tout cela était erroné. Le même avancement rassurant s'observe pour le rhumatisme. Il y a quelques générations, pour se soigner de ce mal, on traînait une pomme de terre dans sa poche. À présent, les rhumatisants peuvent bien y mettre ce qu'ils veulent! Même une pastèque! Quelle différence? Ou encore, pour une crise d'épilepsie, on desserrait le col du malade pour qu'il respire plus librement; aujourd'hui, on conseille plutôt de resserrer le col afin que l'épileptique s'étouffe.

Un seul domaine de la Médecine a échappé au progrès. C'est la formation des médecins, et plus précisément la durée de celle-ci. Dans le bon vieux temps, deux sessions d'hiver à l'École de Médecine suivies de deux étés de travail dans une scierie suffisaient à l'affaire. De nos jours, cela peut prendre huit ans. Bien entendu, les jeunes d'aujourd'hui sont toujours plus sots et paresseux chaque année. N'importe quel homme de plus de cinquante ans vous le confirmera. Il demeure tout de même étrange que huit ans soient nécessaires pour apprendre ce qu'on apprenait jadis en huit mois.

Quoi qu'il en soit, je voudrais mettre en lumière que le travail actuel d'un médecin est extraordinairement simple : on pourrait l'apprendre en une quinzaine de jours. Voici comment on le pratique.

Un malade entre dans le cabinet de consultation.

« Docteur, dit-il, j'ai très mal ici. »

Le médecin donne un grand coup dans le dos du client, suivi d'un coup de poing sous le cœur.

« Vous avez senti quelque chose ? » demande-t-il malicieusement, alors que le patient s'écroule et se tord. « Levez-vous », ajoute le médecin, puis il compte jusqu'à dix.

Le médecin examine le malade de la tête aux pieds en silence, puis, soudain, il lui tape dans l'estomac, ce qui casse en deux le client. Ensuite, le praticien se met à lire le journal tranquillement. Quand il revient enfin, il marmonne :

« Hum, vous avez une légère anesthésie du tympan.

— Vraiment ? soupire le malade plus mort que vif. Que faire, docteur ?

— Eh bien, vous devez rester tranquille. Alitez-vous et ne bougez plus. »

En réalité, le médecin ignore totalement ce qui ne va pas. Ce qu'il sait, c'est que si le malade s'alite, il finira par se remettre ou bien la mort l'emportera. Entre-temps, si le médecin va le voir tous les matins et continue à le battre, le patient finira par avouer ce qui ne va pas.

«Et le régime, docteur?» demande le malade, complètement effondré.

Là, on peut s'attendre à tout. Si midi approche et que le médecin a une faim de loup, il dira:

«Mangez beaucoup, de la viande, des légumes, du pain, de la colle ou du ciment, tout ce que vous voudrez!»

Mais si le médecin sort de table et que la tarte aux groseilles lui sort par les oreilles, il dira d'un air grave:

«Je vous interdis de manger quoi que ce soit. Un petit jeûne vous fera le plus grand bien.

— Et la boisson?»

Là aussi, la réponse varie. Peut-être que le médecin dira, l'œil étincelant:

«Buvez donc un verre de bière ou, mieux, un gin avec du soda ou un whisky Perrier, et un scotch chaud avec du sucre, un zeste de citron et de la muscade.»

Mais si le médecin a assisté, la veille, à une soirée trop bien arrosée entre confrères, il peut carrément interdire au patient la moindre goutte d'alcool.

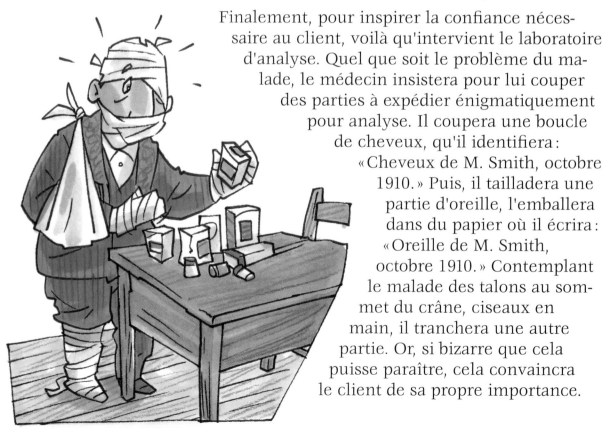

Finalement, pour inspirer la confiance nécessaire au client, voilà qu'intervient le laboratoire d'analyse. Quel que soit le problème du malade, le médecin insistera pour lui couper des parties à expédier énigmatiquement pour analyse. Il coupera une boucle de cheveux, qu'il identifiera: «Cheveux de M. Smith, octobre 1910.» Puis, il tailladera une partie d'oreille, l'emballera dans du papier où il écrira: «Oreille de M. Smith, octobre 1910.» Contemplant le malade des talons au sommet du crâne, ciseaux en main, il tranchera une autre partie. Or, si bizarre que cela puisse paraître, cela convaincra le client de sa propre importance.

«Oui, déclare le patient sous les bande-lettes, à ses amis impressionnés : le Docteur soupçonne une anesthésie de la prognose, mais il expédie mon oreille à New York, mon appendice à Baltimore et une boucle de mes cheveux un peu partout, et, entre-temps, je dois prendre un whisky chaud toutes les demi-heures. »

Puis, il retombe sur son oreiller, dans un doux rêve.

Pourtant, n'est-ce pas étrange...

Vous et moi, nous avons beau savoir tout cela, dès que quelque chose cloche, nous accourons chez le médecin, aussi vite que le taxi peut avancer. Personnellement, je préfère même une ambulance avec sirènes.

C'est tellement plus apaisant.

arts plastiques

Pieter Bruegel, l'Ancien

Né vers 1525 et mort à Bruxelles en 1569, le peintre flamand Pieter Bruegel est à mi-chemin entre la peinture du Moyen Âge et l'esprit de la Renaissance italienne. Contrai-rement aux peintres de la Renaissance, Bruegel n'a pas fait de nus pour représenter des corps aux proportions idéales. Dans ses scènes paysannes, ses personnages sont souvent lourds et disgracieux. Bruegel s'est amusé à montrer les émo-tions et les faiblesses des bonnes gens de son époque. En

Danse des paysans.

peignant des fêtes, des kermesses, des processions, des danses, il a été le pre-mier artiste à représenter la classe paysanne dans sa réalité quotidienne. S'il a joui d'une grande notoriété de son vivant, Bruegel a cependant été largement sous-estimé au cours des siècles suivants. Ce n'est qu'au 20e siècle qu'on a com-mencé à reconnaître la richesse, l'originalité et la spontanéité de son œuvre.

Institutions québécoises

Lis ce texte pour connaître l'histoire de quelques institutions importantes du Québec depuis 1900.

La société québécoise n'a pas toujours été celle que nous connaissons aujourd'hui. Au fil des ans, des hommes et des femmes ont agi avec conviction pour rendre la société plus juste et plus prospère. Cela s'est traduit par la mise sur pied d'institutions qui sont devenues de puissants outils de développement social. Au Québec, le ministère de l'Éducation, le ministère de la Santé et la société d'État Hydro-Québec ont notamment eu un impact majeur sur notre société.

L'éducation au Québec

Depuis la naissance de la Nouvelle-France, l'éducation avait toujours été très influencée par l'Église catholique. Vers 1900, l'Église contrôle tout le système scolaire catholique sur le plan pédagogique. L'enseignement accorde une grande place au catéchisme et à l'histoire sainte, en négligeant beaucoup les mathématiques, les sciences, la technologie et le commerce.

Une classe dans les années 1950.

En 1923, le gouvernement fait une réforme de l'éducation. Il met un peu d'ordre dans les programmes d'enseignement. L'enseignement primaire passe de 4 années à 6 années. On ajoute aussi une 7e et une 8e année avec des options en industrie, en commerce ou en agriculture. Mais plus de 95 % des élèves quittent l'école après la 6e année.

À partir de 1937, on ouvre beaucoup d'écoles techniques et d'écoles de métiers. Après le primaire, ce sont toutefois les collèges classiques qui restent les institutions les plus prestigieuses. Ces collèges privés dirigés par des religieux donnent accès à toutes les facultés des universités après huit années d'un enseignement qui laisse peu de place aux mathématiques et aux sciences. Et ils ne sont accessibles qu'à une faible minorité de la population

En 1943, une loi du gouvernement du Québec rend l'instruction obligatoire jusqu'à l'âge de 14 ans et abolit les frais de scolarité de l'école primaire publique. Malheureusement, les conditions d'enseignement restent assez misérables. En 1951, plus de 70 % des écoles n'ont qu'une salle de classe, 60 % n'ont pas d'électricité et 40 % n'ont ni eau courante ni toilettes à l'intérieur. Quant aux enseignants, ils sont dans la majorité des cas mal formés et mal payés.

Jean Lesage.

À partir de 1960, on apporte des changements majeurs. Le gouvernement libéral de Jean Lesage institue la Commission royale d'enquête sur l'enseignement, mieux connue sous le nom de « commission Parent », qui étudie de 1961 à 1966 la situation de l'éducation au Québec. Après ses premières recommandations, on crée le ministère de l'Éducation en 1964. Désormais, les écoles ne seront plus gérées par le clergé.

En 1965, on achète suffisamment de matériel scolaire pour que l'enseignement secondaire soit accessible à tous les élèves de la province. En 1967, on remplace les collèges classiques par les collèges d'enseignement général et professionnel (cégep). Enfin, on fonde en 1969 l'Université du Québec, un réseau d'universités publiques. Pendant les années 1960, on modernise les programmes d'enseignement en profondeur pour assurer une meilleure formation scientifique et technique. Les Québécois peuvent désormais avoir accès à une éducation de qualité, de la maternelle jusqu'à l'université.

Le ministère de la Santé

La Santé avait toujours été prise en charge par différentes congrégations religieuses. Leur travail était généralement efficace, mais la qualité des soins était trop inégale d'une région à une autre pour que le gouvernement laisse aller les choses.

En 1919, le gouvernement fédéral crée un ministère de la Santé qui a pour principal objectif de lutter contre la tuberculose et les maladies infantiles. Au Québec, en 1922, le docteur Alphonse Lessard amène le gouvernement à créer le Service provincial d'hygiène. À partir de là, le développement du système de santé du Québec se poursuit lentement. L'idée de rendre gratuits les soins de santé pour tous les citoyens fait lentement son chemin.

En 1961, le gouvernement fédéral met sur pied un programme d'assurance-hospitalisation. Les soins hospitaliers deviennent donc accessibles à l'ensemble de la population canadienne. En 1970, le gouvernement de Robert Bourassa accepte un plan de régime d'assurance-maladie élaboré par le fédéral qui rend gratuit l'ensemble des soins de santé.

En 1972, ce même gouvernement met en place les CLSC (centres locaux de services communautaires) pour faire la promotion de la santé et du bien-être auprès de la population. Les Québécois bénéficient dès lors de soins de santé accessibles. Mais les coûts du système ont augmenté de façon vertigineuse.

Claude Castonguay fut président de la Commission royale d'enquête sur la santé et le bien-être social (1966-1970). La carte d'assurance-maladie a été surnommée la « castonguette ».

Le CLSC Hochelaga-Maisonneuve.

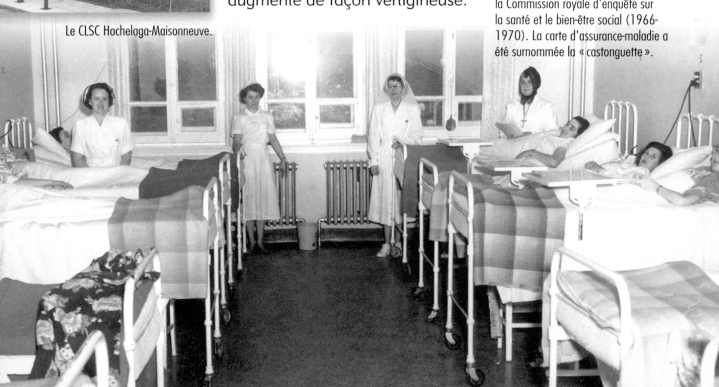

Le barrage de Shawinigan.

L'électrification des régions rurales.

Adélard Godbout.

L'hydroélectricité

Le Québec possède un réseau hydrographique qui se prête très bien à la production d'électricité. En 1898, la Shawinigan Water and Power Company construit un premier barrage important en Mauricie. Il y en aura ensuite dans le Saguenay, l'Outaouais et le Saint-Laurent. À Montréal, c'est la Montreal Light, Heat and Power Company qui finit par contrôler l'ensemble de la distribution électrique de la ville.

Ces grosses compagnies réalisent des profits considérables en demandant des tarifs exorbitants. De plus, leurs services laissent beaucoup à désirer. Les pannes sont fréquentes, et les compagnies refusent de desservir les régions éloignées jugées non rentables. Après plusieurs tentatives de réglementation, le premier ministre québécois Adélard Godbout décide de nationaliser la Montreal Light, Heat and Power, la plus importante compagnie d'électricité du Québec, pour en confier la gestion à une société d'État : la Commission hydroélectrique de Québec. Un an plus tard, soit le 14 avril 1944, on crée Hydro-Québec.

La rue Saint-Urbain à Montréal avant et après l'électrification.

Il y a ensuite une longue période de prospérité et de développement au cours de laquelle on électrifie toutes les régions rurales du Québec. En 1963, le gouvernement de Jean Lesage poursuit la politique de nationalisation d'Adélard Godbout en achetant les onze producteurs d'électricité privés qui sont encore en activité dans la province. Par cette mesure, le Québec reprend possession d'une de ses ressources naturelles les plus importantes.

Hydro-Québec se voit concéder l'exclusivité de l'aménagement de toutes les rivières encore disponibles. Et pour répondre à une demande qui augmente de 7 % par année, on entreprend à la même époque la réalisation de grands barrages : le complexe Manicouagan-Outardes et les chutes Churchill, au Labrador. Dans les années 1970, le gouvernement Bourassa démarre l'immense chantier hydroélectrique de la Baie-James, la plus grande centrale souterraine du monde.

Le barrage et le réservoir La Grande-3 sur la Grande Rivière.

- Quelles améliorations les institutions présentées dans ce texte ont-elles apportées au Québec ?

- Selon toi, y a-t-il encore à faire ? Explique.

Le barrage hydroélectrique Daniel-Johnson, sur la Côte-Nord.

Les microbes

Aux environs de 1860, Louis Pasteur, le célèbre scientifique français, étudie les micro-organismes qui évoluent dans l'environnement. Il prouva qu'ils étaient responsables de beaucoup de maladies. Mais qui sont-ils, ces microbes qui peuvent nous faire tant de mal ?

Lis ce texte pour mieux comprendre ce que sont les bactéries et les virus.

Les micro-organismes, qu'on appelle microbes dans la langue courante, se divisent en trois grandes catégories : les bactéries, les virus et les parasites. Qu'est-ce qui les différencie ? Bien des choses. Précisons d'abord que les bactéries et les parasites sont des organismes vivants, alors que les virus sont en quelque sorte à mi-chemin entre le vivant et le non-vivant. Voyons maintenant de plus près ces deux types de micro-organismes.

Les bactéries

Les bactéries ont été les premiers organismes vivants de la Terre. On a trouvé en Afrique des fossiles de bactéries qui dataient de trois milliards d'années. Formées d'une seule cellule, les bactéries se retrouvent partout dans l'environnement, dans l'eau, dans l'air, dans le sol et dans notre corps. Les bactéries qui vivent dans notre intestin, par exemple, sont essentielles au bon fonctionnement de notre système digestif. On peut observer les bactéries à l'aide d'un microscope. Si la plupart des bactéries sont utiles, il y a aussi des bactéries nuisibles qu'on appelle « bactéries pathogènes ». Ces bactéries peuvent perturber le fonctionnement du corps humain en déclenchant des infections dites bactériennes, comme la tuberculose, le tétanos, la diphtérie ou la coqueluche.

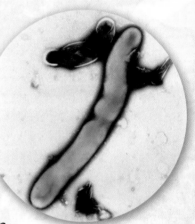

La bactérie de la tuberculose.

Les bactéries sont des êtres vivants qui peuvent se reproduire très vite par un mécanisme appelé « division cellulaire ». Ainsi, une bactérie se divise en deux pour produire deux bactéries identiques, lesquelles se diviseront en deux à leur tour et ainsi de suite. Une seule bactérie peut se reproduire à 16 millions d'exemplaires en quelques heures.

Les virus

Les virus peuvent être un million de fois plus petits que les bactéries. Pour les observer, il faut avoir recours à un microscope électronique, un appareil qui peut grossir des objets jusqu'à plusieurs millions de fois.

Le VIH, virus du sida.

Pour plusieurs scientifiques, les virus ne sont pas des organismes vivants à proprement parler, parce qu'ils ne peuvent pas se reproduire seuls. Ils ne peuvent se multiplier qu'en pénétrant dans une cellule vivante. Une fois qu'il a pénétré dans la cellule, le virus libère son ADN, son code génétique. L'ADN du virus se duplique et la cellule infectée meurt. Les copies du virus vont ensuite s'attaquer à d'autres cellules.

En 1918, un virus dévastateur est ramené au Canada par les soldats qui reviennent de la guerre : c'est la grippe espagnole. Cette terrible épidémie a provoqué la mort de 21 millions de personnes de par le monde, dont 50 000 dans notre pays. Aujourd'hui, c'est le virus du sida qui retient l'attention. Des dizaines de millions de personnes en sont infectées dans le monde, la grande majorité se trouvant sur le continent africain.

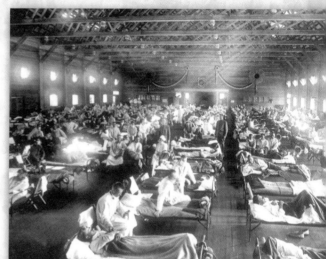

● Peux-tu dire ce qui différencie les bactéries et les virus ?

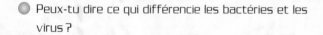

science et technologie

Les prions

La terrible affaire de la « vache folle » a révélé un nouveau type de microbe jusque-là inconnu qu'on a appelé « prions ». Comme ils sont 100 fois plus petits que les virus les plus minuscules, les prions sont invisibles même au microscope électronique. Ils ont aussi une incroyable résistance aux procédés classiques de stérilisation. Que sont les prions ? Des protéines, tout simplement, c'est-à-dire des chaînes de grosses molécules. Mais des protéines d'une conformation anormale qui ont la faculté de transmettre leur conformation aux protéines normales.

On croyait jusqu'à présent que seul l'ADN contenu dans le noyau des cellules pouvait transmettre de l'information biologique. Il semble bien que ce ne soit pas le cas. Les prions, protéines mal formées, contaminent les protéines bien formées qui les entourent. Ces protéines difformes vont s'agréger à l'intérieur et autour des neurones en provoquant la destruction progressive et irréversible du cerveau de l'animal qui est atteint. Cette faculté de se multiplier sans support génétique reste pour l'instant bien mystérieuse.

Je ferai un jardin

Cet été je ferai un jardin
Si tu veux rester avec moi
Encor quelques mois
Il sera petit, c'est certain
J'en prendrai bien soin
J'en prendrai bien soin
Pour qu'il soit aussi beau que toi

Si tu veux attendre avec moi
Que les oiseaux reviennent
Si tu peux souffrir ces semaines
De silence et de froid
J'ai déjà dessiné pour toi
Un jardin au fond de la cour
À l'image de notre amour
Quand tu y crois

Cet été je ferai un jardin
Si tu veux rester avec moi
Encor quelques mois
Il sera petit, c'est certain
J'en prendrai bien soin
J'en prendrai bien soin
Pour qu'il soit aussi beau que toi

Nous regarderons pousser les fleurs
Les légumes et les fruits
Avec la foi des tout-petits
Le soleil de cinq heures
Fera renaître nos ardeurs
Tu te souviens de nos étés?
Si tu voulais encor rester
Jusqu'aux chaleurs

Cet été je ferai un jardin
Si tu veux rester avec moi
Encor quelques mois
Il sera petit, c'est certain
J'en prendrai bien soin
J'en prendrai bien soin
Pour qu'il soit aussi beau que toi

Cet été je ferai un jardin

Clémence DesRochers

Le printemps

Le temps a laissé son manteau
De vent, de froidure et de pluie,
Et s'est vêtu de broderie,
De soleil luisant, clair et beau.

Il n'y a bête ni oiseau
Qu'en son jargon ne chante ou crie :
Le temps a laissé son manteau
De vent, de froidure et de pluie.

Rivière, fontaine et ruisseau
Portent en livrée jolie
Gouttes d'argent d'orfèvrerie,
Chacun s'habille de nouveau :

Le temps a laissé son manteau.

Charles D'ORLÉANS

Un dieu m'ouvre la barrière (6 h 58)

Dany LAFERRIÈRE

Ma ceinture est déjà bouclée. Je m'apprête à faire face au plus terrifiant des monstres : l'inconnu. Que va-t-il m'arriver ? Je suis né en 1953, Papa Doc est arrivé au pouvoir en 1957, je n'ai donc connu qu'un seul système politique : la dictature. La faim, la peur, l'urgence m'ont formé. Que vais-je devenir à présent que je quitte cette constante agitation ? Le confort ! Cette idée m'a obsédé toute la nuit dernière. Que faire de tout ce temps que j'aurai à moi ? Combien de temps cela prend pour changer de système mental ? Et que va-t-il m'arriver entre-temps ? Ma tête fourmille de questions sans réponses. Légère panique. On annonce le départ. C'est la première fois de ma vie que je prends l'avion. Que va devenir ce jeune tigre efflanqué, habitué à se débrouiller dans la pire jungle de la Caraïbe, maintenant qu'il va vivre dans un tel confort ? Le confort, selon moi, c'est toute ville où ma vie n'est pas menacée à chaque coin de rue. Le moment le plus dangereux dans une jungle, c'est la nuit, parce qu'on ne voit pas l'ennemi arriver. Qu'en est-il alors quand on n'arrive pas à repérer l'ennemi même le jour ? C'est ce qui m'arrivera, du moins tout au début. Comment distinguer un ami d'un ennemi quand on ignore la psychologie profonde des gens d'un pays ? À partir de maintenant, je ne sais plus rien. Ne plus penser. Attendre pour voir venir. C'est tout.

Quand je suis arrivé à l'aéroport, tout à l'heure, j'ai tout de suite repéré ma mère cachée derrière un pilier. Elle tenait à la main une petite valise en tôle qu'elle m'a glissée dans la main quand je suis passé près d'elle, un peu comme font les mafiosi quand ils doivent confier à des passeurs une valise remplie de cocaïne ou de narcodollars. La mienne contenait quelques pantalons et trois chemises, des bouquins qu'elle savait me tenir à cœur, une médaille de la Vierge qui me servira de police d'assurance en attendant d'avoir un travail là-bas, et une lettre écrite en

gros caractères dont chaque mot est important et que je dois lire chaque jour (elle a souligné trois fois «chaque jour») durant mon séjour à l'étranger, en attendant que les choses se soient calmées en Haïti. C'est ce que j'ai vu quand je suis allé vérifier dans les toilettes le contenu de la valise. J'avais peur qu'elle soit bourrée de nourriture que la douane aurait interceptée. Je savais qu'elle serait là même si cela impliquait un grave danger pour elle, et elle était là. Je ne l'ai pas embrassée pour ne pas attirer sur nous l'attention des tontons macoutes, toujours aux aguets à l'aéroport, surveillant les gens qui auraient sur eux une interdiction de départ et qui tenteraient d'une façon ou d'une autre, en changeant de nom le plus souvent, de passer entre les mailles du filet du système de sécurité. Les hommes partent. Les femmes et les enfants restent. Ma dernière rencontre avec ma mère n'aura pas duré plus de dix secondes. Je suis parti vers la cabine de l'officier d'immigration, qui a longuement cherché mon nom dans un grand cahier noir, sur la liste de ceux à qui il est interdit de quitter le pays. J'ai vu son index descendre interminablement puis s'arrêter à un nom. Le mien?

Je commençais à suer. Finalement, il a refermé le cahier tout en me jetant un regard dur, simplement pour ne pas que j'oublie que son rôle, ici, c'est d'être méchant et bête. Il m'a finalement dit : « Bon voyage. » Ma mère, qui a sûrement assisté à tout mon périple depuis le hall d'entrée de l'aéroport, devait être sur le point de s'évanouir. Tant que je n'aurai pas franchi la dernière porte, celle qui donne sur la piste, je ne me sentirai pas à l'abri d'un rebondissement. Et voilà qu'au moment même où je vais franchir cette porte

(celle qui donne sur un autre monde), je sens une main sur mon épaule. Je reste figé un moment. Devrais-je m'élancer vers l'avion que je vois à quelques mètres de moi ? Ce n'est jamais une bonne idée de courir. La balle est toujours plus rapide que toi. Mon corps s'est comme vidé de son sang, quand une voix familière me glisse à l'oreille : « Bon voyage, mon ami. » Je me retourne et me retrouve face au visage rayonnant de Legba. Ce Legba, qui m'a sauvé des chiens, est le dieu qui se tient à la porte du monde invisible. « Vous ne passerez jamais dans l'autre monde, disait toujours Da, si Legba ne vous ouvre pas la barrière. » C'est chose faite. Je peux respirer. À partir du moment où Legba en personne est venu m'ouvrir la dernière porte, j'ai été hors d'atteinte de tout mal. Je n'appartiens plus au monde de la dictature. Je suis dans un autre univers. Sous la protection d'un dieu puissant. Les dieux du vaudou ne voyagent pas dans le Nord. Ces dieux sont trop frileux. Je serai donc seul pour affronter ce nouveau monde. Comme ça, du jour au lendemain. Un univers avec ses codes, ses symboles.

Une ville nouvelle à connaître par cœur. Sans guide. Ni dieu. Les dieux ne m'accompagneront pas. L'ancien monde ne pourra m'être d'aucun secours. Au contraire, il me faut tout oublier de mes dieux, de mes monstres, de mes amis, de mes amours, de mes gloires passées, de mon éternel été, de mes fruits tropicaux, de mes cieux, de ma flore, de ma faune, de mes goûts, de mes appétits, de mes désirs, de tout ce qui a fait jusqu'à présent ma vie, si je veux continuer à vivre dans le présent chaud et non sombrer dans la nostalgie du passé (ce présent que je vis encore et qui deviendra passé dans moins de trente secondes, au moment où l'avion quittera le sol d'Haïti). Et Montréal ne m'attend pas.

© Éditions Lanctôt

français

Dany Laferrière

L'écrivain Dany Laferrière est né en 1953 à Port-au-Prince, en Haïti. Après ses études secondaires, il devient journaliste. Il est chroniqueur culturel dans la presse écrite et radiophonique, et il ne se gêne pas pour critiquer le régime dictatorial de Duvalier alors au pouvoir. En 1976, les tontons macoutes assassinent un de ses amis, le journaliste Gasner Raymond. Dany Laferrière sait qu'il doit quitter le pays au plus tôt s'il ne veut pas être assassiné à son tour. Il quitte Port-au-Prince pour Montréal. Depuis 1985, Dany Laferrière écrit des livres surtout autobiographiques, dont beaucoup sont traduits dans plusieurs langues.

Les mots de substitution

Tu sais déjà que les **pronoms** sont des **mots de substitution**, c'est-à-dire qu'ils servent à remplacer des mots afin d'éviter les répétitions dans un texte.

Louis Pasteur étudia **les micro-organismes** qui évoluent dans l'environnement. **Il** prouva qu'**ils** étaient responsables de beaucoup de maladies.

La découverte **des antibiotiques** a amené une révolution dans le monde médical. **Ce** sont des substances chimiques qui tuent les bactéries.

Les antibiotiques sont sans effet sur **les virus**. Le vaccin est l'arme la plus efficace pour **les** combattre.

Voici d'autres mots ou groupes de mots qui peuvent également jouer ce rôle.

- Un **adverbe**

    Le maïs est originaire d'**Amérique centrale et d'Amérique du Sud**. On a trouvé **là** des preuves archéologiques de sa culture datant de 4600 ans.

- Un **synonyme**, c'est-à-dire un mot qui a le même sens qu'un autre mot

    Certains **chercheurs** se penchent sur les algues des océans, une source inépuisable de vitamines et de minéraux. D'autres **scientifiques** visent à améliorer les rendements agricoles en produisant des plantes génétiquement modifiées.

- Un **générique**, c'est-à-dire un mot qui a un sens plus général que le mot qu'il remplace

    Sur le plan nutritif, le **riz** est assez faible en protéines. Cette **céréale** contient toutefois une bonne quantité de vitamine B.

- Un **groupe du nom** qui remplace un autre groupe du nom

    L'anorexie affecte près de 2 % des jeunes adolescentes. **Ce refus de s'alimenter** découle souvent d'une image de soi insatisfaisante.

    En cas de saignement de nez, il faut exercer une pression à la base du nez pendant **cinq minutes**. **Ce laps de temps** devrait être suffisant pour permettre la formation d'un caillot.

- Un **groupe du nom** qui résume une phrase ou une partie de phrase

    En 1963, **le gouvernement achète les producteurs d'électricité privés encore en activité**. **Cette mesure** permet au Québec de reprendre possession d'une de ses ressources naturelles les plus importantes.

Les mots empruntés

Plusieurs mots du français viennent d'autres langues. On dit que ce sont des **emprunts**. Tu peux trouver ces mots dans les dictionnaires de langue française.

Mots français empruntés			
à l'anglais	**à l'italien**	**à l'espagnol**	**à l'arabe**
base-ball	bandit	cacahuète	café
clown	faciliter	iguane	estragon
cyclone	improviser	tornade	tasse
hot dog	opéra	**au japonais**	**à l'allemand**
humour	pizza	karaté	harmonica
majorette	spaghetti	bonsaï	képi
sandwich	**au bulgare**	**au turc**	**au hongrois**
snob	yogourt	divan	paprika

Les anglicismes

Aujourd'hui, la plupart des mots empruntés viennent de la langue anglaise. Ce sont des **anglicismes**.

Attention! Tous les anglicismes ne sont pas acceptés dans la langue française. Un anglicisme pour lequel il existe déjà un mot français équivalent est rejeté et ne figure pas dans les dictionnaires de langue française.

> Voici quelques exemples d'anglicismes fréquents à éviter.

Anglicismes à éviter	Mots français équivalents
canceller un rendez-vous	**annuler** un rendez-vous
checker un enfant	**surveiller** un enfant
pitcher une balle	**lancer** une balle
une **game** de hockey	un **match** de hockey
un **walkman**	un **baladeur**
c'est une **joke**	c'est une **blague**
jusqu'à **date**	jusqu'à **maintenant**
un **blanc** de mémoire	un **trou** de mémoire

La science au service de la santé

La découverte des micro-organismes

Les humains ont mis bien du temps à comprendre de quelle façon les maladies se transmettaient d'une personne à une autre, et plus de temps encore à comprendre qu'elles étaient transmises par des microbes. Si certains scientifiques expliquèrent la contagion par l'existence de micro-organismes dès le 15e siècle, il a fallu attendre l'invention des premiers microscopes au 17e siècle pour observer des bactéries.

Ainsi, en 1680, le Hollandais Antonie Van Leeuwenhoek observa le tartre des dents à l'aide d'un microscope qu'il avait lui-même construit et y découvrit « de petits animalcules se mouvant de façon charmante ».

La bactérie de la tuberculose.

Le virus du sida.

De terribles épidémies

Au début du 19e siècle, le choléra, une maladie gastro-intestinale, éclatait aux Indes. En 1826, il gagnait l'Europe pour arriver à Québec en 1832 où il fit 3450 victimes. Au cours de ce siècle, il y a eu six épidémies mondiales de choléra qui ont causé la mort de centaines de milliers de personnes.

Il y a aussi des épidémies causées par les virus, ces éléments extrêmement petits que certains scientifiques ne veulent pas classer parmi les êtres vivants. Les épidémies de grippe, par exemple, touchent durement les populations des pays pauvres, déjà affaiblies par la malnutrition. Les épidémies de grippe de 1957 et de 1968 ont causé la mort d'un million et demi de personnes dans le monde.

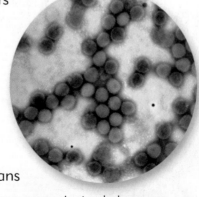

Le virus du rhume.

Les antibiotiques et les vaccins

La découverte des antibiotiques a provoqué une révolution dans le monde médical. Ce sont des substances chimiques qui tuent les bactéries. Au Québec, vers 1900, 12 000 personnes mouraient de la tuberculose chaque année. Aujourd'hui, il n'y en a plus en moyenne que 70.

Malheureusement, on constate que les bactéries deviennent de plus en plus résistantes aux antibiotiques. Il faut donc toujours sans cesse en inventer de nouveaux. Les antibiotiques sont sans effet sur les virus. Le vaccin est l'arme la plus efficace pour les combattre. La variole, par exemple, une maladie mortelle redoutable, a été complètement éradiquée par une campagne mondiale de vaccination. Le dernier cas de variole a été enregistré en 1977 en Somalie.

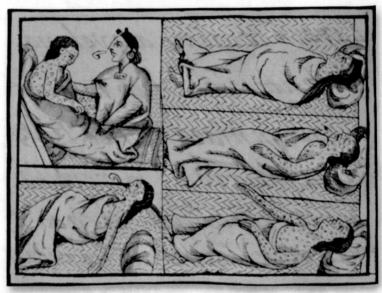

Au 17ᵉ siècle, une terrible épidémie de petite vérole décima la population iroquoise de la vallée du Saint-Laurent. Les Hurons, eux, furent lourdement frappés par des épidémies de variole.

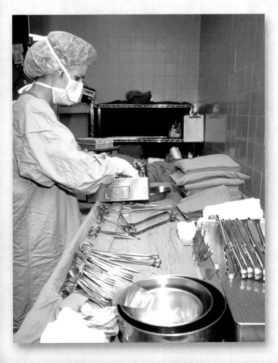

Les bienfaits de l'hygiène

Une fois qu'on a découvert que les maladies étaient causées par des microbes, on a vite pensé à stériliser les instruments des médecins et des chirurgiens, et à désinfecter les salles d'opération et les chambres des patients. Et les résultats ont été spectaculaires. Les microbes étant le plus souvent transmis par les mains, on peut en éviter un bon nombre en se lavant souvent les mains et en gardant sa maison propre.

Partir

Partir !
Aller n'importe où,
vers le ciel
ou vers la mer,
vers la montagne
ou vers la plaine !
Partir !
Aller n'importe où,
vers le travail
vers la beauté
ou vers l'amour !
Mais que ce soit avec une âme pleine
de rêves et de lumières,
avec une âme pleine
de bonté, de force et de pardon !

S'habiller de courage et d'espoir,
et partir,
malgré les matins glacés,
les midis de feu,
les soirs sans étoiles.
Raccommoder, s'il le faut,
nos cœurs
comme des voiles trouées,
arrachées
au mât des bateaux.

Démêler nos pensers emmêlés
comme des filets de pêche
abandonnés
au bord de l'eau.
Se lever, si l'on est couché,
et s'en aller de nouveau,
et recommencer,
patients et entêtés,
tels de petits enfants
qui jouent
dans le sable,
l'été,

et qui construisent avec des coquillages
et des cailloux,
des navires qui font naufrage
chaque nuit,
des châteaux
que la vague emplit
et démolit aussitôt,
mais qu'ils recommencent toujours,
un peu plus loin,
un peu plus haut,
le lendemain matin.

Et si l'on est perché
sur un pic enneigé,
avec des ailes neuves,
des ailes qui n'ont jamais servi,
qui n'ont jamais failli,
ne pas avoir peur,
et s'élancer,
et s'égarer
dans l'infini.

Cécile CHABOT
© Fonds Cécile Chabot

Autour du monde

Lis ce texte pour découvrir de véritables merveilles que peuvent réserver les voyages.

Angkor : l'ancienne cité des Khmers

Le Cambodge est aujourd'hui l'un des pays les plus pauvres de l'Asie du Sud-Est. Mais en 802, le royaume des Khmers était très riche. À l'apogée de sa puissance, son roi, Jayavarman II, fonda la cité d'Angkor. Durant les quatre siècles suivants, les Khmers y construisirent des temples étagés en pierre pour honorer des divinités hindoues et bouddhiques, de même que leurs rois qu'ils considéraient comme les incarnations terrestres de ces divinités.

Il y a des dizaines de temples à Angkor, mais les trois plus extraordinaires sont le Bayon, Angkor Vat et Ta Prohm.

Le Bayon

Construit en pleine jungle, aux alentours de 1200, le Bayon est exposé à l'est, et donc plus agréable à visiter au lever du jour. À ce moment, le soleil éclaire ses 1200 mètres de bas-reliefs sculptés où figurent plus de 11 000 personnages. La douce lumière matinale met en valeur les 200 gigantesques visages d'Avalokitesvara, un des grands sages de la religion bouddhique qui ornent les 50 magnifiques tours du temple.

Angkor Vat.

Angkor Vat

Conçu sur trois paliers, Angkor Vat est un immense temple-montagne d'une beauté stupéfiante. Il est dédié à Vishnu, un dieu hindou, et devait servir de mausolée au roi Suryavarman II, qui le fit construire. La tour centrale, de 55 mètres de hauteur, domine toutes les autres tours et donne à l'ensemble une harmonie sublime. Le complexe est entouré par plus de 5 kilomètres de douves, de larges fossés remplis d'eau. À l'extérieur, de magnifiques bas-reliefs décrivent sur plus de 800 mètres des démons et des dieux tirant de la mer l'élixir de l'immortalité.

Ta Prohm

Le temple bouddhique Ta Prohm est le plus grand des temples d'Angkor. Mais ce n'est pas là le principal intérêt de cette construction du 12e siècle. Ce qui rend Ta Prohm extraordinaire, c'est qu'on peut l'admirer dans l'état où les archéologues l'ont redécouvert, il y a un siècle. Envahi par la jungle et les tentaculaires racines des fromagers, ce muet témoin d'une gloire révolue baigne dans une atmosphère envoûtante.

Varanasi : le voyage spirituel

Varanasi est l'une des plus anciennes villes du monde. Certains écrits vieux de 3000 ans la mentionnent. C'est aussi le lieu de pèlerinage le plus sacré de l'Inde. Selon la croyance, ceux qui y meurent sont libérés du cycle des réincarnations. Des milliers d'hindous viennent donc y finir leurs jours.

Animée et mystérieuse, Varanasi est établie au bord du Gange, le fleuve-mère de l'Inde. Le long des rives de ce cours d'eau, on peut voir les palais qu'y ont construits des maharadjahs, des princes hindous.

Mais à Varanasi, le spectacle le plus fascinant est celui des *ghâts*, d'immenses escaliers à paliers qui descendent au Gange. Dès l'aube, la foule envahit cet endroit où s'entassent temples et autels sacrés. C'est l'heure des prières et des ablutions rituelles. Elles ont lieu pendant que des enfants pataugent, que des femmes lavent du linge, que des familles s'installent à l'ombre de vastes parasols. Dans la lumière dorée, des gens se recueillent en préparant une offrande. Bientôt, ils lancent, à la dérive sur le fleuve, une longue feuille de bananier sur laquelle reposent les cendres d'un parent défunt. Au même moment, de futurs mariés, chargés des fleurs qu'ils jetteront dans le fleuve, s'apprêtent à traverser en bateau.

Le soleil est à peine levé, mais déjà, c'est torride, et l'endroit fourmille d'astrologues, de gourous, de marchands de fleurs, de musiciens funèbres et de vendeurs de glaçons.

Venise : un spectacle unique

Y a-t-il dans le monde une ville plus spectaculaire que Venise ? Venise est unique. C'est une ville invraisemblable, construite il y a 1000 ans, au cœur d'un marécage, sur 118 îlots reliés entre eux par quelque 400 ponts.

Pour franchir le Grand Canal qui partage inégalement la ville en deux, on peut emprunter le pont du Rialto. Cette véritable œuvre d'art offre un magnifique point de vue sur l'effervescente activité aquatique. Les rives du Grand Canal sont bordées d'élégants palais et églises datant du Moyen Âge et de la Renaissance.

Un des nombreux ponts qui enjambent le Grand Canal.

Le cœur de la ville est occupé par la place Saint-Marc où se trouvent la majestueuse basilique byzantine de Saint-Marc, le palais des Doges et la haute tour de l'Horloge. La Place abrite de célèbres cafés devant lesquels des orchestres de plusieurs musiciens se produisent à toute heure. C'est là aussi que des milliers de pigeons viennent quémander de la nourriture aux touristes.

La place Saint-Marc.

Épargnée par les guerres, Venise a peu changé en 1000 ans. Il y a toujours des gondoles pour se promener dans les canaux, même si, à présent, elles servent surtout aux balades touristiques. Les Vénitiens se déplacent plutôt dans de rapides barques à moteur appelées *traghetti*.

À Venise, on peut bien sûr visiter de magnifiques églises et musées. Mais c'est parfois tout aussi amusant d'ouvrir grand les yeux pour assister au stupéfiant spectacle que présente la vie courante dans un tel décor !

Le Grand Canal.

arts plastiques

Marc Chagall (1887-1985)

Le grand peintre Marc Chagall a représenté sur cette magnifique toile l'épisode tragique du Déluge raconté dans la Bible. Une des caractéristiques de sa représentation est qu'on y montre l'intérieur de l'arche plutôt que sa navigation sur les eaux, très souvent illustrée par d'autres peintres. La scène, qui semble envahie par les eaux du Déluge, symbolise une purification et un renouvellement de la vie. Né en Russie en 1887, le peintre, dessinateur, graveur et décorateur Marc Chagall a aussi vécu en France, en Allemagne et aux États-Unis. Il a développé un style très personnel où le rêve tient une grande place et il a traité de nombreux thèmes bibliques. Ses tableaux sont figuratifs, car leurs éléments sont toujours bien identifiables, mais ils sont combinés de façon invraisemblable ou fantaisiste. Inspiré par le cubisme, Marc Chagall a adopté un procédé de décomposition des formes qui l'éloigne tout à fait de la figuration traditionnelle.

L'Arche de Noé.

Le Grand Canyon : un voyage dans le temps

Le Grand Canyon est une merveille géologique. Les experts croient que sa formation remonte à près de 65 millions d'années, quand un soulèvement du sol a créé le plateau qu'on appelle aujourd'hui le plateau du Colorado. Puis, il y a quelque 10 millions d'années, la rivière Colorado, qui s'était formée entre-temps, a commencé à creuser son lit dans le plateau. Poursuivant son travail d'érosion, elle a mis à nu, sur environ 440 kilomètres, des parois de pierre dans lesquelles on distingue 12 strates de couleurs différentes. Chacune de ces couches de roches, par sa composition et les fossiles qu'elle contient, témoigne d'une étape de la vie de la Terre.

Ainsi, le fond du canyon est formé d'une magnifique roche noire marbrée de rouge qui provient de sédiments déposés il y a 2 milliards d'années ! Par contre, à une altitude de 2000 mètres, on peut reconnaître des fossiles ou des empreintes de reptiles dont l'apparition sur terre est plus récente. Plus on monte, plus le terrain est jeune.

Des fleurs de cactus.

Contempler le Grand Canyon en Arizona, c'est faire un voyage dans le temps, mais c'est aussi visiter des milieux naturels. En effet, selon l'altitude, la faune et la flore changent. Par exemple, à 2740 mètres, c'est le domaine des trembles et des sapins, des pumas, des coyotes et des dindons sauvages. Mille mètres plus bas, les plantes cactées remplacent les arbres, et les lézards, les lapins et les petits rongeurs, comme le rat-kangourou, abondent. Plus on descend, plus le climat est chaud et sec. Il peut faire plus de 49 °C à 600 mètres ! Alors pourquoi ne pas se rafraîchir en descendant le tumultueux fleuve Colorado en pneumatique ? Imagine l'aventure inoubliable que cela doit être !

Un puma.

Un coyote.

● Connais-tu d'autres lieux extraordinaires ? Décris-les.

● Où aimerais-tu aller en voyage ? Pourquoi ?

Les Bédouins et les Masaïs

Lis ce texte qui te présente deux peuples dont le mode de vie n'a guère changé depuis des milliers d'années.

Les Bédouins

Les Bédouins habitent le nord de l'Afrique et le Moyen-Orient. Bien qu'ils soient très dispersés et de moins en moins nombreux, les Bédouins traditionnels partagent tous le même mode de vie. Ils aiment la liberté et restent indépendants des gouvernements et des autorités. Ils se déplacent dans le désert sans se préoccuper des frontières nationales. Les Bédouins sont des êtres fiers et courageux qui ont connu des conditions de vie extrêmement dures depuis des siècles. L'homme de la tribu qui prend les décisions les plus importantes s'appelle le *cheik*.

Les Bédouins sont des nomades du désert. Ils s'installent parfois pendant des mois ou même des années autour d'oasis où ils peuvent puiser de l'eau et faire pousser des cultures. Leur alimentation se compose de dattes, de pain plat, de lait, de viande et de miel. Ils sont aussi de grands amateurs de café et de thé.

Beaucoup de Bédouins élèvent des dromadaires. Ce sont des animaux très utiles dans le désert, parce qu'ils peuvent survivre pendant des semaines sans boire. Ils sont aussi très résistants et ont de larges pieds bien adaptés à la marche dans le sable. Pendant des siècles, le dromadaire a été le principal moyen de transport dans le désert.

L'apparence des Bédouins est caractéristique. Les femmes portent de longues robes, souvent noires. Elles se couvrent le visage d'un voile, surtout devant les étrangers. Pour les occasions spéciales, elles mettent des voiles brodés d'argent et de perles, et se teignent les mains en rouge avec du henné. Certains de leurs produits cosmétiques peuvent nous surprendre. Ainsi, il leur arrive de se laver les cheveux avec de l'urine de dromadaire. C'est, paraît-il, un excellent moyen d'éviter les poux. Parfois aussi, elles mettent dans leur chevelure une poudre faite de crotte de gazelle qui dégage, à ce que l'on dit, un parfum de camomille et de thym. Certaines femmes se tatouent le visage ou portent un anneau à la narine.

Les hommes bédouins se reconnaissent également au premier coup d'œil. Leur coiffe traditionnelle se compose du *keffiyé* et de l'*agâl*. Et ils portent une longue tunique, la *thowb*.

Avec du poil de chèvre et de la laine, les femmes tissent des couvertures et le tissu des larges tentes basses que les Bédouins habitent, les *beth shar*. Les hommes gardent les dromadaires, chassent et font du commerce. Ils savent manier les armes et sont particulièrement fiers de leurs couteaux, qu'ils portent à la ceinture dans un bel étui. Hommes et femmes n'habitent pas la même partie de la tente, et ils mangent séparément. Chaque groupe partage un plat dans lequel on prend la nourriture de la main droite, car la main gauche est considérée comme impure.

Aujourd'hui, beaucoup de Bédouins ont délaissé le mode de vie traditionnel pour aller vivre dans les villes. D'autres ont d'une certaine façon adapté leur mode de vie ancestral à la vie moderne en continuant à faire de grands voyages dans le désert, mais au volant de robustes véhicules tout-terrain.

Les Masaïs

Dans la région montagneuse qui chevauche la frontière du Kenya et de la Tanzanie, en Afrique, vivent près de 300 000 Masaïs. Une bonne partie du peuple masaï, un peuple semi-nomade, pasteur et guerrier, a su préserver son mode de vie traditionnel en évitant les contacts avec les étrangers. Les Masaïs, d'ailleurs, n'aiment pas beaucoup les étrangers.

Le corps très élancé, les épaules et les hanches étroites, les guerriers masaïs sont de redoutables adversaires. Un homme masaï se sépare rarement de son couteau, le *panga*, de sa massue ou de sa lance à très longue lame, l'*emperre*.

Les villages des Masaïs sont formés d'une cinquantaine de maisons rondes disposées autour de l'enclos du bétail. Plus ils ont de bovins, plus les Masaïs sont riches. Selon leur croyance, Dieu leur a donné tout le bétail de la terre. C'est pourquoi ils n'hésitent pas, encore occasionnellement aujourd'hui, à faire une razzia, c'est-à-dire à aller voler les bêtes des peuples des environs. Après une razzia, un combat ou une chasse au lion, les Masaïs arborent leurs tenues de cérémonie et festoient. Parés de leurs multiples bijoux et coiffés de plumes d'autruche, de crinières de lion et de plumes d'aigle, ils chantent et dansent pendant des heures en scandant le rythme au son des clochettes qui sont attachées autour de leurs cuisses.

Les Masaïs prennent grand soin de leur apparence. Dès l'enfance, leurs lobes d'oreilles sont percés et agrandis le plus possible avec des bouts de bois ou des feuilles enroulées. Les hommes aussi bien que les femmes portent des perles de verre, se maquillent le corps, se tatouent, s'enduisent les cheveux de graisse, d'ocre, et y tressent une multitude de nattes, à moins qu'ils ne se rasent complètement la tête.

L'alimentation des Masaïs se compose surtout de lait et de sang de bovin, car ces farouches guerriers ont un grand mépris pour l'agriculture. Pour se procurer le sang, ils enroulent une lanière de cuir autour du cou de l'animal et la serrent afin de faire saillir sa veine jugulaire. Ils y enfoncent alors une flèche avec un petit morceau de bois au bout afin d'éviter de blesser gravement l'animal. Ils recueillent ainsi jusqu'à deux litres de sang. Quant à la blessure du bovin, elle guérit rapidement, enduite d'un peu de fumier.

- Que penses-tu du mode de vie de ces deux peuples ?

- Selon toi, comment de jeunes Masaïs ou de jeunes Bédouins percevraient-ils notre mode de vie ?

VOYAGES

Je voudrais faire des voyages,
Aller très vite, aller très loin...
Je voudrais voir tous les rivages
Des mers que je ne connais point.
Mais je n'ai qu'une patinette
Et un petit cheval de bois !
Le cheval a mauvaise tête,
La patinette fuit sous moi.
Si j'avais une bicyclette,
J'irais, dès le soleil levant,
Par les routes blanches et nettes;
J'irais plus vite que le vent.
Si j'avais une automobile
Je roulerais au clair matin;
Je roulerais de ville en ville,
Jusqu'aux murailles de Pékin.
Je voudrais une paire d'ailes
Pour m'envoler au ciel profond,
Parmi les vives hirondelles...
Qu'on me donne un petit avion !
Ou bien des bottes de sept lieues...
Car je suis un Petit Poucet
Qui voit passer des choses bleues,
Comme si l'Enchanteur passait.

Ernest PÉROCHON

Au point du jour, Delagrave.

Moi, mes souliers

Moi, mes souliers ont beaucoup voyagé
  Ils m'ont porté de l'école à la guerre
  J'ai traversé sur mes souliers ferrés
  Le monde et sa misère

Moi, mes souliers ont passé dans les prés
  Moi, mes souliers ont piétiné la lune
  Puis mes souliers ont couché chez les fées
  Et fait danser plus d'une

Sur mes souliers y a de l'eau des rochers
  D'la boue des champs et des pleurs de femmes
  J'peux dire qu'ils ont respecté le curé
  L'pays, l'bon Dieu et l'âme

S'ils ont marché pour trouver l'débouché
  S'ils ont traîné de village en village
  Suis pas rendu plus loin qu'à mon lever
  Mais devenu plus sage

Tous les souliers qui bougent dans les cités
  Souliers de gueux et souliers de reine
  Un jour cesseront d'user les planchers
  Peut-être cette semaine

Moi, mes souliers n'ont pas foulé Athènes
  Moi, mes souliers ont préféré les plaines
  Quand mes souliers iront dans les musées
  Ce s'ra pour s'y, s'y accrocher

Au paradis, paraît-il, mes amis
  C'est pas la place pour les souliers vernis
  Dépêchez-vous de salir vos souliers
  Si vous voulez être pardonnés
  Si vous voulez être pardonnés

Félix LECLERC

© Succession Félix Leclerc

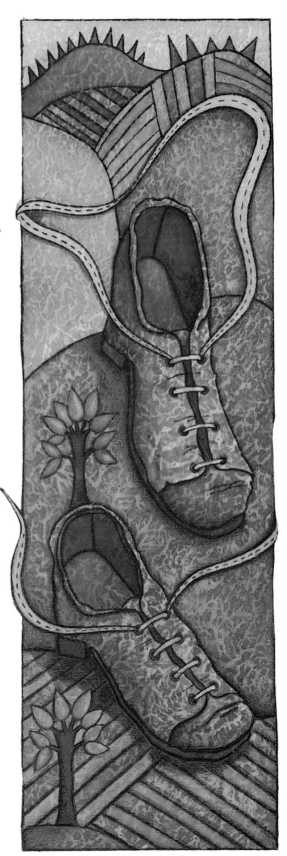

Journal de voyage

Lunévillage, le 18 janvier

J'ai pris ma décision ce matin. Ce petit héritage qui me tombe du ciel, je ne l'économiserai pas. Il y a dans le monde trop de choses que je veux voir. C'est décidé: je pars.

Mon itinéraire est fixé: Portugal, Maroc, Grèce, Tibet et Thaïlande. Depuis le temps que je lis sur ces pays, je sais d'eux tout ce qu'il faut en savoir: climat, géographie, religions, ressources naturelles, mets nationaux, etc. Évidemment, il y a la barrière des langues. Mais existe-t-il quelque chose que l'emploi d'un dictionnaire ou de gestes éloquents ne puisse arranger?

Lisbonne, le 20 janvier

Lisbonne: le début du grand voyage. Le vol s'est bien passé, ma première journée au Portugal aussi, somme toute. De l'aéroport, j'ai pris un taxi pour me rendre à la ville. J'étais un peu fatiguée. J'ai donc décidé de paresser à la terrasse d'un café. L'endroit était bondé et le serveur, très affairé. Le temps passait. Le serveur semblait voir tout le monde, sauf moi. J'ai donc cherché à attirer son attention. Je l'ai appelé, j'ai tendu le bras dans sa direction, j'ai remué sur ma chaise, j'ai grimacé. Rien n'y faisait. Et pourtant, il servait tout le monde autour de moi. C'était trop fort! J'ai commencé à voir rouge.

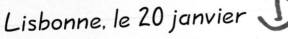

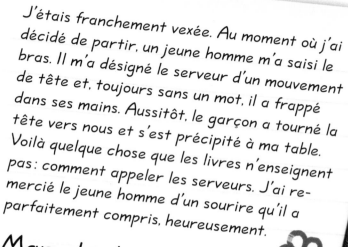

J'étais franchement vexée. Au moment où j'ai décidé de partir, un jeune homme m'a saisi le bras. Il m'a désigné le serveur d'un mouvement de tête et, toujours sans un mot, il a frappé dans ses mains. Aussitôt, le garçon a tourné la tête vers nous et s'est précipité à ma table. Voilà quelque chose que les livres n'enseignent pas : comment appeler les serveurs. J'ai remercié le jeune homme d'un sourire qu'il a parfaitement compris, heureusement.

Marrakech, le 25 janvier

J'ai traversé le détroit de Gibraltar, ce matin, et j'ai débarqué au Maroc, en pleine révolution ! C'est du moins ce que j'ai cru dans mon affolement. En effet, à peine ai-je laissé le débarcadère qu'une marée humaine m'emporte irrésistiblement. La foule est dense, mouvante et bigarrée. Personne pourtant ne semble en proie à la panique. Profitant d'une brèche, je me range sur le côté et j'observe.

Deux hommes, en pleine discussion, face à face, presque nez à nez, agitent frénétiquement les bras. Ils s'empoignent tour à tour aux bras, aux épaules, au cou et se lancent des paroles au visage sans se quitter des yeux. Ils me semblent prêts à se prendre aux cheveux. Alors que je commence à espérer que quelqu'un s'interpose, ils s'éloignent, bras dessus, bras dessous, en riant.

La scène m'a laissée songeuse. Je viens d'en parler à un négociant français, qui est descendu à l'hôtel en même temps que moi. Il connaît bien le peuple arabe. Il m'a expliqué que j'ai probablement assisté aux retrouvailles de deux amis. Les Arabes, m'a-t-il dit, n'ont pas la même notion de l'espace que nous, Occidentaux. Alors que nous gardons nos distances, même avec des amis très chers, les Arabes, eux, s'expriment par le contact physique.

M. Luc BROCHON
18h30 à la
réception

Mes deux bonshommes de la matinée ne se parlaient pas dans le nez, comme je l'avais pensé, ils n'étaient pas grossiers non plus. Ils ne se quittaient pas des yeux, car cela aurait pu signifier le dégoût ou le mensonge. Une fois de plus, je suis forcée d'admettre que les livres ne disent pas tout.

Corfou, le 4 février

J'ai remisé mes livres et je me suis ouvert les yeux. Je vais de découverte en découverte. Ce matin encore, je l'ai échappé belle. J'étais montée sur le pilier d'un ancien temple, quand un jeune garçon s'est mis à crier, visiblement désireux d'attirer mon attention. Qu'est-ce qu'il pouvait bien me vouloir? Je l'observai de toute l'attention dont j'étais capable. Il rejeta la tête en arrière avec force, il tendit sa main, la paume tournée vers moi, et expulsa furieusement l'air de ses narines. En pure perte d'ailleurs, car je n'y comprenais rien. Il me saisit alors par la veste et m'obligea à le suivre en courant. Il était moins une!

Spyros

La Thaïlande

Une grosse pierre venait d'atterrir à l'endroit précis où je me trouvais quelques secondes auparavant. Tous les signes qu'il m'avait faits (tête rejetée, paume tournée et violente évacuation d'air par le nez) ne signifiaient pas autre chose que «non». Mais quel non! Ce garçon m'a sauvé la vie. Sans lui, je ne partirais pas demain pour le Tibet!

Lhassa, le 8 février

Mon voyage m'a beaucoup changée. Je suis beaucoup plus ouverte qu'auparavant. La preuve, c'est que je ne me suis pas offensée la première fois qu'un Tibétain m'a tiré la langue. Forte de mes expériences précédentes, je me suis dit qu'il y avait sûrement une explication à la chose. J'avais raison et j'ai vite appris que les Tibétains se saluent en se tirant la langue; c'est la coutume. Le premier embarras passé, je me suis mise, moi aussi, à faire ces agréables grimaces.

Lop-buri, le 22 février

La Thaïlande, dernière étape de mon voyage, déjà! Je vais visiter le pays en compagnie de Poonsup, qui est venue me chercher ce matin à l'aéroport. Je ne l'avais jamais vue, mais je ne m'inquiétais pas. J'imaginais que je serais l'une des rares Occidentales dans le petit aéroport. Poonsup n'aurait pas de peine à me repérer. À l'arrivée pourtant, personne ne semblait faire attention à moi. J'avais bien remarqué une jeune fille qui bougeait les doigts de la main qu'elle tenait au-dessus de sa tête, mais décidée comme j'étais à ne plus m'étonner de rien, j'avais continué à chercher ma guide du regard. La jeune fille était maintenant devant moi, la main toujours au-dessus de la tête. Je compris que depuis mon arrivée elle s'évertuait, à la manière thaïe, à me faire signe d'avancer!

Le Sahara : un monde à part

Lis ce texte pour connaître une exploratrice qui allie le travail au voyage.

Le Sahara est le plus vaste de tous les déserts. Avec ses 9,5 millions de kilomètres carrés, il occupe le quart de la superficie du continent africain. Au centre et à l'est, il est formé de grands massifs montagneux, en partie volcaniques. Au nord, il présente d'immenses étendues de dunes pouvant s'élever jusqu'à 350 mètres. Le reste du Sahara se compose de vastes plaines et de plateaux couverts de pierres.

Nicole Petit-Maire, une scientifique de renom, explore cette région fascinante depuis plus de 25 ans. Elle s'intéresse à tous les aspects du désert, particulièrement à l'histoire des changements climatiques. Nicole Petit-Maire s'efforce également de découvrir l'évolution des humains qui ont habité le désert, car elle est aussi paléoanthropologue. Tout ce qu'elle trouve devient pour elle un sujet d'étude : les roches, les fossiles, les coquillages, les squelettes d'animaux ou d'humains, les dépôts de sel et d'argile... Que prend-elle pour emballer tous ces échantillons ? Du papier hygiénique ! Lorsqu'elle part en expédition, Nicole en apporte des centaines de rouleaux dans ses bagages. Cela amuse beaucoup les douaniers !

Écailles de crocodile.

Vertèbres d'un poisson de 1,60 mètre de long.

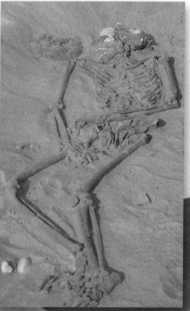

Squelette fossilisé d'un homme mort il y a environ 7000 ans.

Nicole passe en fait des mois à préparer une expédition. Elle s'occupe elle-même de tous les détails et voit même à trouver des sources de financement. Elle examine minutieusement le matériel et tous les aliments qu'elle apporte car, dans le désert, on ne trouve bien sûr ni eau, ni nourriture, ni combustible.

Comme elle ne peut apporter qu'une quantité limitée de nourriture, d'eau et d'essence, Nicole ne doit surtout pas se perdre dans le désert. Les points de repère étant rares, elle ne se sépare jamais de sa boussole pendant ses déplacements. Il n'est pas question de se mettre à tourner en rond et de risquer une panne sèche !

Il va sans dire que Nicole est devenue une véritable experte de la conduite dans le désert. Elle sait détecter, simplement par la couleur, le sable où elle risque de s'enfoncer. Elle sait déceler d'avance les points de sable d'où il est presque impossible de se dégager une fois qu'on s'y est enlisé.

La scientifique se dit amoureuse du désert. Il faut en effet une grande passion pour accepter de vivre dans les conditions extrêmes du Sahara : menace de dangereux serpents, chaleur torride du jour, nuits glaciales, sécheresse, vents de sable... Et, en cas de difficulté, il est à peu près impossible de trouver du secours dans cette immensité aride. Étonnamment, pendant toutes ces années, Nicole Petit-Maire dit n'avoir connu que peu de situations vraiment périlleuses.

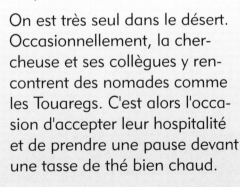

On est très seul dans le désert. Occasionnellement, la chercheuse et ses collègues y rencontrent des nomades comme les Touaregs. C'est alors l'occasion d'accepter leur hospitalité et de prendre une pause devant une tasse de thé bien chaud.

Dans le désert, il suffit d'un simple coup de volant malheureux pour s'enfoncer. Il faut parfois deux jours de travail pour arriver à dégager le véhicule.

Le véhicule tout-terrain que Nicole Petit-Maire conduit en experte.

Un nomade offre le thé à la scientifique.

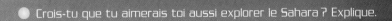

● Crois-tu que tu aimerais toi aussi explorer le Sahara ? Explique.

Quand les bateaux s'en vont

Quand les bateaux s'en vont
   Je suis toujours au quai
   Mais jamais je ne pars
   Et jamais je ne reste

Je ne dis plus les mots
   Je ne fais plus les gestes
   Qui hâtent les départs
   Ou les font retarder

Refrain :
   Je ne suis plus de l'équipage,
   Mais passager
   Il faut bien plus que des bagages
   Pour voyager

Quand les bateaux s'en vont
   Je reste le dernier
   À jeter, immobile,
   Une dernière amarre

À regarder dans l'eau
   Qui s'agite et répare
   La place qu'il prenait
   Et qu'il faut oublier

Refrain

Quand les bateaux s'en vont
   Je refais à rebours
   Les départs mal vécus
   Et les mornes escales

Mais on ne refait pas
   De l'ordre au fond des cales
   Quand le bateau chargé
   Établit son parcours

Refrain

Quand les bateaux s'en vont
   Je suis silencieux
   Mais je vois des hauts-fonds
   Dans le ciment des villes

Et j'ai le pied marin
   Dans ma course inutile
   Sous les astres carrés
   Qui me crèvent les yeux

Refrain

Quand les bateaux s'en vont
   Je reste sur le quai

Gilles VIGNEAULT

© Nouvelles Éditions de l'Arc.

Quelle aventure !

Claire St-Onge

J'ai toujours rêvé de grandes aventures dans des pays exotiques. Je me verrais bien traversant le Sahara torride, juchée sur un dromadaire, ou bien naviguant au milieu de l'océan sur un immense voilier.

Aussi, lorsque Sylvain, l'ami de ma mère, m'a annoncé que nous partions en vacances, j'ai cru que j'allais enfin vivre l'aventure avec un grand A ! J'ai lancé en l'air une pièce de vingt-cinq cents en m'écriant : « Pile, c'est le Sahara ; face, c'est la mer des Caraïbes !

— Que dirais-tu du Lac-Saint-Jean ? m'a lancé Sylvain sur un ton jovial. Nous en profiterons pour aller rendre visite à ma grand-mère, qui vient d'emménager à Grandes-Piles. »

Est-il nécessaire de préciser que j'étais terriblement déçue ? Aucune langue nouvelle à apprendre, aucun bateau à prendre... Ma seule consolation a été de savoir que je pouvais inviter François Chen, mon inséparable ami, à participer à cette palpitante aventure familiale...

* * *

À l'aube du 15 juillet, entassés dans la camionnette chargée jusqu'au plafond, nous étions prêts pour le grand départ. Béatrice, ma mère, qui s'était improvisée navigatrice, avait pris place à côté de son cher conducteur. Elle déployait déjà devant elle l'indispensable carte routière, alors que nous n'avions même pas encore quitté l'entrée du garage. J'étais assise sur la banquette, entre François et Joëlle, ma petite sœur de deux ans et demi, qui a l'affreuse manie de piquer une crise de larmes chaque fois qu'on l'installe dans son siège. Quant à Sif, mon chien, il avait disparu dans la montagne de bagages.

« En route ! s'est écrié Sylvain. Je parie que nous aurons une journée magnifique ! »

Mais pour l'heure, une pluie abondante tambourinait sur le toit de la camionnette et Joëlle criait à tue-tête qu'elle voulait aller aux toilettes. François, qui dit toujours le contraire de sa pensée, m'a alors chuchoté à l'oreille : «Je crois qu'on va bien s'amuser...»

Heureusement, le déluge s'est arrêté subitement vers midi, comme nous entrions dans le parc des Laurentides où nous avions prévu passer la nuit. Pour atteindre le camping, nous devions rouler des kilomètres et des kilomètres sur une route de terre déserte, au milieu d'une forêt sombre et plutôt sinistre. Tout à coup, comme nous étions presque à mi-chemin, un bruit terrible nous a forcés à nous immobiliser.

«Oh non ! pas une crevaison ! ai-je lancé.

— Enfin un peu d'action ! a dit François. Je commençais à m'ennuyer !

— Eh bien, tu vas être servi, jeune homme, a répliqué Sylvain. La roue de secours est au fond de la camionnette. Il va falloir sortir tout le barda pour l'atteindre...»

C'est alors que des immenses bataillons de mouches noires, sentant la chair fraîche, ont foncé droit sur nous. Ma mère s'est barricadée à l'intérieur de la camionnette avec Joëlle pour chercher le chasse-moustiques. Pendant ce temps, Sylvain, François et moi, aux prises avec la roue à changer, subissions la torture d'innombrables piqûres.

«Désolée ! a crié ma mère au bout d'un temps qui m'a paru interminable. Je crois que j'ai oublié le chasse-moustiques...

— Misère !» a gémi Sylvain en écrasant d'une seule tape une bonne douzaine d'insectes voraces.

François, lui, avait les oreilles en sang et très épaisses.

«Ta mère est vraiment épatante !» m'a-t-il dit.

Lorsque nous avons enfin atteint le poste d'accueil du camping, nous avions vraiment l'air d'une famille de sinistrés.

«Vous vous êtes égarés? a demandé le gardien en nous regardant avec étonnement.

— Il ne manquerait plus que ça!» ai-je répondu en essayant de recracher une autre de ces bestioles que je venais d'avaler.

* * *

Comme l'avait si bien prédit François-le-devin, la suite de notre voyage au Lac-Saint-Jean n'a été qu'une cascade de mésaventures navrantes...

Au camping de Saint-Gédéon, il a fallu tout un après-midi pour réussir à dresser nos tentes, à cause du vent démoniaque qui menaçait de tout arracher. On a même dû attacher Joëlle et Sif à la glacière pour les empêcher de s'envoler.

* * *

Et puis, lorsque nous sommes arrivés au fameux zoo de Saint-Félicien, il y avait une panne générale: pas d'électricité, pas de train, pas de visite... Adieu bisons, zèbres, chevreuils... J'aurais hurlé de rage!

Heureusement que François était là pour me remonter le moral.

«Quel dommage! Moi qui avais apporté exprès mon médicament contre l'allergie aux bisons!»

Mais il y a eu pire! Pendant que nous visitions Val-Jalbert, le village fantôme, Sif en a profité pour disparaître. Nous l'avons cherché pendant des heures! François et moi avons dû demander à tous les campeurs s'ils n'avaient pas vu passer une espèce de vadrouille jaune et sale sur quatre pattes.

Sif est un chien idiot qui n'a jamais été capable de retrouver son chemin tout seul. Mais, évidemment, on l'adore et on ne pourrait pas s'en passer. Pas question de quitter Val-Jalbert sans lui. À la tombée de la nuit, nous commencions tous à désespérer quand une odeur suspecte a envahi notre campement.

«Mais ça sent la mouffette!» s'est écriée ma mère.

J'allais allumer ma lampe de poche pour explorer les alentours lorsque j'ai senti une masse chaude, humide et bien puante tout contre mon dos.

«Sif! Où étais-tu donc passé, espèce de tête de linotte? Tu empestes!»

Évidemment, j'étais contente de revoir le pauvre Sif, qu'il s'agissait maintenant de débarrasser de cette odeur insoutenable...

«Contre l'odeur de mouffette, il n'y a rien comme un bon lavage au jus de tomate, a expliqué Sylvain, qui avait été louveteau dans sa jeunesse.

— Génial! a dit François en se bouchant le nez.

— Et où va-t-on trouver du jus de tomate à cette heure?» a demandé ma mère, qui n'avait jamais entendu parler de ce désinfectant miracle.

Alors moi, j'ai eu soudain une idée.

«Et si on prenait ta sauce à spaghetti, maman?»

Elle a levé les bras au ciel et m'a regardée avec de gros yeux (je pense qu'elle commençait à en avoir assez des vacances...). Mais l'odeur est devenue tellement insupportable qu'elle a fini par se résigner à sacrifier sa sauce maison pour l'amour de Sif.

* * *

Inutile de dire qu'après huit jours de problèmes aussi incessants qu'invraisemblables nous étions tous soulagés de quitter le Lac-Saint-Jean et de prendre le chemin du retour. Mais il nous restait à rendre visite à la grand-mère de Sylvain, dans ce village au drôle de nom: Grandes-Piles, notre dernière étape. Pendant le trajet, je ne pouvais m'empêcher de penser avec inquiétude à ce qui nous attendait là-bas...

* * *

La grand-mère Patenaude, une grande dame au sourire malicieux, nous a accueillis chaleureusement dans sa «nouvelle» maison, qui avait au moins 150 ans.

Après le dîner, elle nous a fait monter à l'étage pour nous montrer nos chambres. Une fois en haut, François a écarquillé les yeux en m'indiquant une mystérieuse trappe dans le plafond.

«Un grenier! me suis-je exclamée. Qu'est-ce qu'il peut bien contenir ?

— Oh! Rien qu'un paquet de vieilleries qui appartenaient à un marin, l'aïeul de l'ancien propriétaire, a dit madame Patenaude.

— Est-ce que je pourrais y monter avec François ?

— Mais bien sûr! Et prenez tout ce que vous voulez, les enfants!»

Le grenier recelait un vrai trésor. Tous les objets personnels du vieux marin étaient là, couverts de poussière. François, qui adore les déguisements, est tombé sur un uniforme d'officier, très élégant avec son bicorne. Il a aussi déniché deux vrais hamacs de marins. Moi, je me suis précipitée sur le gros coffre en bois qui contenait des instruments de navigation anciens: cartes marines, compas, boussole et sextant. Il y avait même un carnet de bord daté de 1892. Tout ça était à nous! Tout de même, ce voyage de malheur nous avait au moins réservé une bonne surprise.

Nous nous sommes amusés dans ce grenier de rêve pendant un long moment, puis nous sommes redescendus à regret, chargés comme des mulets et heureux comme des rois.

«Et comment croyez-vous que tout ça va entrer dans la camionnette déjà surchargée?» a dit Sylvain en nous voyant.

François m'a chuchoté à l'oreille:

«Est-ce qu'il y aurait un problème, par hasard?»

Évidemment qu'il y avait un problème! C'était bien trop beau pour durer!

RECORDS GÉOGRAPHIQUES

La cordillère des Andes est le bloc montagneux le plus étendu du monde. Elle s'étend sur 7250 km de la Colombie à la Terre de Feu. On y trouve une cinquantaine de volcans. Le plus actif est le Cotopaxi, en Équateur. Il atteint 5896 m.

L'Everest, ou Chomolungma, est le plus haut sommet du monde. Il atteint 8880 m. Il fait partie de la chaîne de l'Himalaya, en Asie, à la frontière du Népal et du Tibet. Il a été escaladé pour la première fois en 1953.

La plus grande forêt du monde est la taïga sibérienne, avec ses 12 000 000 km². Ce royaume des ours est une extraordinaire source de gisements miniers. D'immenses fleuves passent parmi les conifères et les feuillus, dont la Volga, le plus long fleuve d'Europe.

L'Amazonie est la plus grande forêt tropicale du monde. Elle occupe 42 % de la surface du Brésil, soit 6 500 000 km². Le fleuve Amazone, le deuxième plus long du monde, large de 30 km, la traverse d'est en ouest. Une faune variée, magnifique et surprenante vit dans ce milieu extrêmement chaud et humide.

La forêt amazonienne.

La région des pampas est la plus vaste plaine de la terre. Elle s'étend du rio Negro (en Argentine) au sud, à la sierra de Cordoba au nord et à l'Uruguay et au Brésil encore plus au nord. Dans ce climat tempéré chaud, il n'y a aucun arbre. On n'y trouve que des herbes dont se nourrissent les plus grands troupeaux de bovins et de moutons du monde.

Le Nil, en Afrique, est le plus long fleuve du monde, avec ses 6671 km. Le Nil prend sa source dans un bassin de 2 850 000 km².

Le Nil.

Les chutes Victoria.

La mer Caspienne est la plus vaste mer intérieure du monde. Située aux confins de l'Europe et de l'Asie centrale, elle a une superficie de 424 000 km². Ses eaux riches en saumon et en esturgeon font la fortune des producteurs de caviar.

Le lac Supérieur, un des Grands Lacs, s'étend en partie au Canada et en partie aux États-Unis. Avec ses 82 400 km², il constitue la plus vaste étendue d'eau douce du monde.

Les chutes Victoria, en Afrique, hautes de 120 m, sont les plus grandes du monde. La crevasse produite par la force des eaux a 1500 m de large. Le Zambèze, qui forme ces chutes, atteint là un débit de 22 000 m³ par seconde. Mais les plus hautes chutes du monde sont les chutes Angel, au Venezuela. Elles ont 980 m de hauteur.

Le Sahara, en Afrique, est le plus vaste désert du monde. Avec ses 8 000 000 km², il couvre plus du quart du continent africain. Il est formé de plateaux rocheux, de dunes de 100 à 800 m de haut et d'étendues caillouteuses.

Le Sahara.

L'endroit le plus sec du monde se trouve en Antarctique, dans les Dry Valleys, des déserts froids où les spécialistes estiment que pas une goutte n'est tombée depuis 2 millions d'années ! Aux États-Unis, dans la Vallée de la Mort, et au Chili, dans le désert d'Arica, il tombe en moyenne 3 mm de pluie par année. Et c'est sur le mont Waialeale, à Hawaï, que les précipitations sont les plus abondantes. Il tombe environ 12 344 mm d'eau par année.

Au creux de la fosse des Mariannes, au nord-ouest de l'océan Pacifique, on a pu mesurer des profondeurs de 11 034 m dans la fosse Challenger. Il s'agirait là de la fosse la plus profonde du monde.

La grotte de Carlsbad.

La caverne la plus profonde se trouve en France, à 1535 m de profondeur. C'est le gouffre Jean-Bernard. Quant à la plus grande cavité comme telle, elle est aux États-Unis, c'est la grande salle de la grotte de Carlsbad : 1300 m de long, 200 m de large et 100 m de haut, cela à 400 m sous terre.

L'Asie est le plus grand des continents : 45 000 000 km². C'est aussi le plus central. Il s'y trouve un pôle du froid, avec une température moyenne de -67,5 °C dans le nord de la Sibérie. Le record de froid, assez inimaginable, a toutefois été atteint à Vostok, dans l'Antarctique, à 1200 km du pôle Sud : -89,6 °C.

Le Groenland est la plus grande île du monde : 2 175 600 km². Environ 85 % de sa surface est couverte d'une calotte de glace dont l'épaisseur moyenne est de 1500 m. La vie n'y est possible que sur 90 000 km². Sur les mers qui entourent le Groenland, il y a d'immenses icebergs.

Le plus vaste archipel du monde est en Asie. L'archipel malais regroupe environ 10 000 îles. Sa superficie est de 2 000 000 km². On a divisé cet archipel en trois groupes : l'archipel de la Sonde, les Moluques et les Philippines.

Le plus grand monolithe du monde est l'Ayers Rock, un énorme rocher bosselé de 8 km de périmètre. Sur la colline de grès où il se trouve, il atteint 867 m de hauteur. Après la pluie, il s'y forme de magnifiques cascades qui disparaissent comme par miracle. Au coucher du soleil, l'Ayers Rock ressemble à du charbon embrasé au milieu du désert australien.

L'Ayers Rock.

○ Qu'est-ce qui te semble particulièrement impressionnant parmi les endroits et les phénomènes décrits dans ce texte ? Explique ton point de vue.

○ Sur lequel des aspects abordés dans ce texte aimerais-tu en savoir plus ?

Animaux du monde

Australie
Australie

L'hippocampe

À cause de sa forme, ce poisson est souvent appelé cheval de mer. Adulte, il mesure de 20 à 30 cm. L'hippocampe est le seul poisson qui nage en position verticale. Au cours de l'accouplement, la femelle insère les œufs dans la petite poche abdominale du mâle. C'est donc le mâle qui porte les petits. Il donnera naissance à plus de 400 individus. Les hippocampes vivent dans les eaux peu profondes des mers tempérées et tropicales.

En voyage, on peut aussi voir d'extraordinaires animaux. Lis ce texte pour en connaître quelques-uns.

L'ornithorynque

La nature semble s'être bien amusée en créant l'ornithorynque ! Cet étrange animal mesure environ 50 cm de long. Il est couvert d'un pelage serré et fin. Il a quatre pattes, munies de longues griffes, et des pieds palmés, qui lui permettent de nager avec facilité. Sa bouche n'est pas un museau, mais un bec de canard. Et bien qu'il soit un mammifère, il pond des œufs. Quelle combinaison !

Australie
Australie

L'ornithorynque trouve sa nourriture dans l'eau, où il vit de trois à quatre heures par jour. Il avale avec sa nourriture une grande quantité de sable et de boue; c'est cela sans doute qui lui permet de digérer même des crustacés. L'ornithorynque passe la majeure partie de son temps dans les terriers qu'il creuse au bord des rivières.

La limule

Véritable fossile vivant, la limule n'a pratiquement pas changé depuis son apparition dans les mers, il y a 300 millions d'années. Son corps est protégé par une épaisse carapace divisée en deux parties mobiles. La limule a une longue queue en forme d'épée. L'ensemble ressemble à une espèce de char d'assaut. La limule se déplace lentement au fond d'eaux vaseuses peu profondes. Elle a cinq paires de pattes qui se terminent par des pinces. Elle se nourrit principalement de mollusques et de vers.

Le harfang des neiges

Ce magnifique hibou est devenu l'emblème de nos régions nordiques. Le harfang des neiges est une des rares espèces d'oiseaux à nicher au sol. Il passe une bonne partie de l'année au nord de notre pays, au-delà de la limite des arbres. Comme tous les hiboux, le harfang des neiges a une vue extrêmement puissante, de 50 à 100 fois plus sensible que la nôtre. Cela lui permet de chasser ses proies avec efficacité, même pendant les nuits les plus noires. Le harfang des neiges se nourrit principalement de lemmings.

Congo

L'okapi

L'okapi n'a été découvert par les zoologistes qu'en 1901. Jusque-là, seuls les Pygmées des forêts denses de l'Afrique connaissaient son existence. L'okapi adulte mesure environ 2 m, du museau à la naissance de la queue. On a d'abord cru que cet animal était une espèce particulière de cheval.

Mais l'examen minutieux de son crâne et de son squelette a permis de l'apparenter plutôt à la girafe. Le pelage sombre de l'okapi, avec ses raies, lui permet de se confondre aisément avec le feuillage des forêts qu'il habite. L'okapi est un animal solitaire. C'est un herbivore qui broute, comme la girafe. Il se nourrit de feuilles et de pousses d'arbres qu'il saisit avec sa langue très longue.

Le tatou

Le tatou est le seul mammifère qui possède une carapace. Tout son corps est recouvert d'une espèce d'armure de plaques très dures disposées en anneaux. Le tatou peut rentrer complètement ses pattes sous sa carapace pour se protéger quand il est attaqué. Cet animal se nourrit d'insectes qu'il trouve en grattant la terre avec ses puissantes griffes. Il mange aussi des vers, des oiseaux et d'autres petits animaux.

États-Unis, Pérou, Argentine

Connais-tu d'autres animaux exotiques ? Décris-les.

Le plus beau voyage

J'ai refait le plus beau voyage
De mon enfance à aujourd'hui
Sans un adieu, sans un bagage,
Sans un regret ou nostalgie
J'ai revu mes appartenances,
Mes trente-trois ans et la vie
Et c'est de toutes mes partances
Le plus heureux flash de ma vie !

Je suis de lacs et de rivières
Je suis de gibier, de poissons
Je suis de roches et de poussières
Je ne suis pas des grandes moissons
Je suis de sucre et d'eau d'érable
De *Pater Noster,* de *Credo*
Je suis de dix enfants à table
Je suis de janvier sous zéro

Je suis d'Amérique et de France
Je suis de chômage et d'exil
Je suis d'octobre et d'espérance
Je suis une race en péril
Je suis prévu pour l'an deux mille
Je suis notre libération
Comme des millions de gens fragiles
À des promesses d'élection

Je suis l'énergie qui s'empile
D'Ungava à Manicouagan

Je suis Québec mort ou vivant !

Claude GAUTHIER

Les expressions figées

Les **expressions figées** sont des suites de mots qui s'emploient toujours de la même façon.

Par exemple, on ne peut pas modifier l'expression **couper la parole** en y changeant ou ajoutant des mots. Ainsi, on peut dire :

Il m'a coupé la parole.

Mais on ne pourrait pas dire :

~~Il m'a tranché la parole.~~ ou ~~Il m'a coupé la première parole.~~

● Les expressions figées ont souvent un **sens figuré**, suggéré par une image ou une comparaison.

> Voici des expressions courantes qui ont un sens figuré.

Couper les ponts : Rompre les relations avec quelqu'un.

Couper les cheveux en quatre : S'embarrasser de détails.

Être tiré à quatre épingles : Être bien habillé.

Mordre la poussière : Subir un échec, perdre un combat.

Ne pas avoir froid aux yeux : Être courageux.

Ne pas avoir la langue dans sa poche : Être bavard, parler avec franchise.

Se croiser les bras : Attendre sans rien faire.

● Certaines expressions sont employées uniquement dans certaines régions. Ce sont des **régionalismes**.

> Voici quelques expressions propres au Québec.

Être vite sur ses patins : Agir, prendre des décisions rapidement.

Ne pas être sorti du bois : Ne pas être au bout de ses peines, ne pas avoir réglé tous ses problèmes.

Pleuvoir à boire debout : Pleuvoir à torrents.

Le choix des temps de verbes dans les récits

Tu as sans doute remarqué au cours de tes lectures qu'on emploie plusieurs temps de verbes dans les récits. Voici un extrait tiré du texte *Journal de voyage*, qui te montre comment choisir les temps de verbes dans les récits que tu écris.

Temps de base : passé composé

- On emploie généralement le **passé composé** pour rapporter la suite des actions qui composent l'histoire. Ce temps est le **temps de base** du récit.
- Pour décrire les lieux et les personnages de l'histoire et les circonstances dans lesquelles elle se déroule, on emploie alors l'**imparfait**.

De l'aéroport, j'**ai pris** un taxi pour me rendre à la ville. J'**étais** un peu fatiguée.

Description d'un personnage

J'**ai** donc **décidé** de paresser à la terrasse d'un café. L'endroit **était** bondé et

Description du lieu

le serveur, très affairé. Le temps **passait**. Le serveur **semblait** voir tout le

Circonstances

monde, sauf moi. J'**ai** donc **cherché** à attirer son attention. Je l'**ai appelé**,

j'**ai tendu** le bras dans sa direction, j'**ai remué** sur ma chaise, j'**ai grimacé**.

Rien n'y **faisait**. Et pourtant, il **servait** tout le monde autour de moi.

Circonstances

C'**était** trop fort ! J'**ai commencé** à voir rouge. J'**étais** franchement vexée.

Description d'un personnage

Au moment où j'**ai décidé** de partir, un jeune homme m'**a saisi** le bras.

Il m'**a désigné** le serveur d'un mouvement de tête et, toujours sans un mot,

il **a frappé** dans ses mains. Aussitôt, le garçon **a tourné** la tête vers nous et

s'**est précipité** à ma table.

Temps de base : passé simple

- On peut aussi employer le **passé simple** comme **temps de base** au lieu du passé composé.

- Pour décrire les lieux, les personnages et les circonstances de l'histoire, on emploie encore l'**imparfait**.

*De l'aéroport, je **pris** un taxi pour me rendre à la ville. J'**étais** un peu fatiguée. Je **décidai** donc de paresser à la terrasse d'un café. L'endroit **était** bondé et le serveur, très affairé. Le temps **passait**. Le serveur **semblait** voir tout le monde, sauf moi. Je **cherchai** donc à attirer son attention. Je l'**appelai**, je **tendis** le bras dans sa direction, je **remuai** sur ma chaise, je **grimaçai**. Rien n'y **faisait**. Et pourtant, il **servait** tout le monde autour de moi. C'**était** trop fort ! Je **commençai** à voir rouge. J'**étais** franchement vexée. Au moment où je **décidai** de partir, un jeune homme me **saisit** le bras. Il me **désigna** le serveur d'un mouvement de tête et, toujours sans un mot, il **frappa** dans ses mains. Aussitôt, le garçon **tourna** la tête vers nous et se **précipita** à ma table.*

Temps de base : présent

Les lecteurs ont alors l'impression que la scène se déroule sous leurs yeux.

- On emploie parfois le **présent** comme **temps de base** afin de rendre le récit plus vivant.

- Dans ce cas, on emploie aussi le **présent** pour décrire les lieux, les personnages et les circonstances de l'histoire.

*De l'aéroport, je **prends** un taxi pour me rendre à la ville. Je **suis** un peu fatiguée. Je **décide** donc de paresser à la terrasse d'un café. L'endroit **est** bondé et le serveur, très affairé. Le temps **passe**. Le serveur **semble** voir tout le monde, sauf moi. Je **cherche** donc à attirer son attention. Je l'**appelle**, je **tends** le bras dans sa direction, je **remue** sur ma chaise, je **grimace**. Rien n'y **fait**. Et pourtant, il **sert** tout le monde autour de moi. C'**est** trop fort ! Je **commence** à voir rouge. Je **suis** franchement vexée. Au moment où je **décide** de partir, un jeune homme me **saisit** le bras. Il me **désigne** le serveur d'un mouvement de tête et, toujours sans un mot, il **frappe** dans ses mains. Aussitôt, le garçon **tourne** la tête vers nous et se **précipite** à ma table.*

Les mots liés au monde du livre

Auteur ou **auteure :** Personne qui rédige un ouvrage.

Le mot **ouvrage** est souvent employé à la place du mot **livre** quand on parle du contenu d'un livre. Il peut désigner un texte littéraire, scientifique ou technique.

Bibliographie : Liste de livres, d'articles ou de revues publiés sur un sujet. À la fin d'un livre, on trouve souvent une bibliographie, qui est une liste des ouvrages cités dans le texte.

Attention ! Ne confonds pas **bibliographie** avec **biographie**, qui est le récit de la vie d'une personne.

Collection : Ensemble de livres qui ont un lien, comme une série de romans jeunesse ou de livres sur la science, sur les animaux. Une collection porte un titre.

Couverture : Ce qui couvre les pages d'un livre, d'une revue. **Première de couverture :** Première face de la couverture.

Quatrième de couverture : Quatrième face de la couverture.

Dédicace : Inscription placée au début d'un livre par l'auteur ou l'auteure pour le dédier à quelqu'un.

Éditeur ou **éditrice :** Personne qui publie et vend des livres. Dans le cas d'une entreprise, on dit éditeur ou maison d'édition.

Illustrateur ou **illustratrice :** Artiste qui fait des dessins pour orner un texte ou le rendre plus clair.

Index : Liste alphabétique des sujets traités dans un livre, avec renvois aux pages permettant de les trouver. L'index se trouve à la fin d'un livre.

Pages de garde : Pages blanches (sans texte) placées au début et à la fin d'un livre.

Recueil : Livre qui contient des textes de même genre. On trouve, entre autres, des recueils de poèmes, de contes et de récits de science-fiction.

Table des matières : Liste des sujets traités dans un livre, présentés par chapitres ou thèmes et leurs divisions, avec renvois aux pages correspondantes. La table des matières se trouve généralement au début du livre.

Pour corriger ton texte

Vérifie la ponctuation et la structure des phrases

Pour chacune de tes phrases, vérifie l'emploi de la virgule, du point qui termine la phrase (**. ! ?**) et de la majuscule au début.

Vérifie l'emploi des deux-points, des guillemets et des tirets pour rapporter des paroles.

Vérifie qu'il ne manque pas de groupe obligatoire (groupe sujet, groupe du verbe) dans tes phrases.

> Souviens-toi que le sujet est absent dans les phrases impératives.

> Vérifie la présence des **deux** mots de négation dans les phrases négatives.

À bord de leur vaisseau**,** les enfants s'approchaient des Cyclades**. S**eraient-ils bien accueillis **? Q**uelle journée ils avaient eue **!** **I**ls n'avaient **jamais** exploré cet endroit**. I**ls se regardèrent et dirent**: «** **S**oyons prudents**. »**

Accorde les mots dans le groupe du nom

Repère le nom qui est le noyau du groupe du nom. Interroge-toi sur son genre et son nombre. Vérifie si le déterminant et les adjectifs qui accompagnent le nom ont le même genre et le même nombre que le nom.

Certains voyageurs impatients sont montés
dét.   nom   adjectif
m. pl.   m. pl.   m. pl.

dans cette navette spatiale.
dét.   nom   adjectif
f. s.   f. s.   f. s.

Accorde les verbes

- Repère le verbe conjugué, trouve son sujet dans le groupe sujet. Relie le sujet au verbe et interroge-toi sur la terminaison du verbe.

- Si le verbe est conjugué à un temps composé, c'est l'auxiliaire qui s'accorde avec le sujet.

- Le participe passé employé avec l'auxiliaire **être** reçoit le genre et le nombre du sujet.

Les enfants traversèrent la stratosphère.

Ils avaient voyagé longtemps, ils étaient épuisés.

Attention! Le participe passé employé avec l'auxiliaire **avoir** ne reçoit pas le genre et le nombre du sujet.